Molière

Le Médecin malgré lui (1666)

Texte intégral

LE DOSSIER

Une comédie-farce sur la médecine

L'ENQUÊTE

Quelle médecine
pratique-t-on au XVIIe siècle ?

Collection dirigée par
Bertrand Louët

Notes et dossier
François La Colère
certifié de lettres modernes

Sommaire

OUVERTURE

ISBN : 978-2-218-93967-9

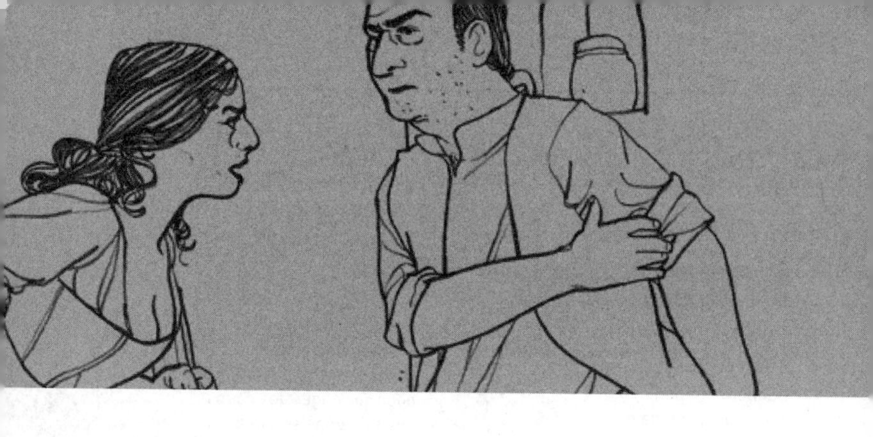

Le Médecin malgré lui

LE DOSSIER

Une comédie-farce sur la médecine

L'ENQUÊTE

* Tous les mots suivis d'un * sont expliqués p. 94-95.

Qui sont les personnages ?

Les rôles principaux

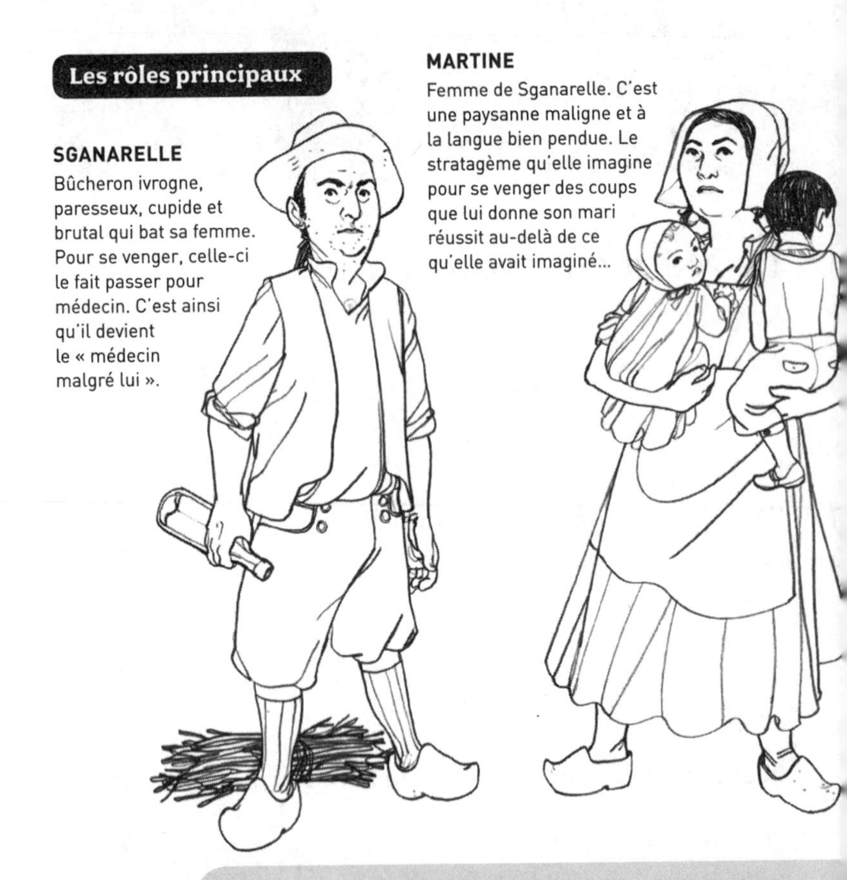

SGANARELLE

Bûcheron ivrogne, paresseux, cupide et brutal qui bat sa femme. Pour se venger, celle-ci le fait passer pour médecin. C'est ainsi qu'il devient le « médecin malgré lui ».

MARTINE

Femme de Sganarelle. C'est une paysanne maligne et à la langue bien pendue. Le stratagème qu'elle imagine pour se venger des coups que lui donne son mari réussit au-delà de ce qu'elle avait imaginé…

Les seconds rôles

VALÈRE et LUCAS : domestiques de Géronte. Valère est cultivé et instruit, Lucas grossier et niais. Géronte les envoie à la recherche d'un médecin. Guidés par Martine, ils ramènent Sganarelle…

GÉRONTE

Vieux barbon (un géronte est un vieillard). Il cherche un médecin pour soigner sa fille Lucinde, devenue muette depuis qu'il a décidé de la marier...

LUCINDE ET LÉANDRE

Les deux amoureux. Ils ne savent comment faire échouer le mariage projeté par Géronte. Heureusement, Jacqueline et Sganarelle vont les aider à faire triompher leur amour.

JACQUELINE : jolie nourrice, femme de Lucas. Elle est l'alliée de Lucinde et plaît à Sganarelle.

M.ROBERT : prototype du voisin curieux, il intervient dans la dispute de Martine et Sganarelle.

THIBAUT et son fils PERRIN : paysans qui viennent se faire soigner, attirés par la réputation de Sganarelle.

Quelle est l'histoire ?

Les circonstances

La pièce se déroule en province, dans la demeure d'un pauvre bûcheron (acte I), puis d'un bourgeois de province (actes II et III). Le moment de l'action n'est pas situé, mais on peut dire qu'il est contemporain à celui de la première représentation en 1666.

L'action

Pour se venger de Sganarelle, son mari qui boit et qui la bat, Martine raconte à deux valets qui cherchent un médecin que Sganarelle en est un, mais qu'il faut le battre pour qu'il le reconnaisse.

Voilà Sganarelle changé en médecin et enrôlé par Valère et Lucas. Il doit soigner Lucinde, la fille de Géronte, leur maître, muette depuis que son père veut la forcer à se marier avec un autre que Léandre.

Habit de médecin, gravure de Nicolas de Larmessin (17e siècle), Paris, BNF.

Le but

Dans cette pièce, Molière se moque des médecins, de leur langage, et dénonce leur impuissance face à la maladie. Il y critique aussi les mariages arrangés.

Sganarelle la guérit en l'aidant à fuir avec Léandre qui s'est fait passer pour un pharmacien.

Mais Lucas dénonce Sganarelle. Géronte, furieux, veut le faire pendre…

Qui est l'auteur ?

Jean-Baptiste Poquelin, dit Molière

● DE L'« ILLUSTRE THÉÂTRE »...

Jean-Baptiste Poquelin, fils d'un bourgeois, fait de brillantes études pour reprendre la charge de tapissier du roi de son père. Mais, à 20 ans, en 1642, il décide de devenir comédien. Sa première troupe l'« Illustre Théâtre » fait faillite, il est emprisonné pour dettes et, en 1645, âgé de 23 ans, il est obligé de fuir en province. Il y apprend le métier de directeur de troupe, prend le nom de Molière et gagne la protection du puissant prince de Conti, amateur de théâtre.

● ... À LA « TROUPE DU ROI »

De retour à Paris en 1658, sa réussite est immédiate, avec le triomphe des *Précieuses ridicules* en 1659. De puissants protecteurs le soutiennent : Monsieur, frère du roi, puis le roi lui-même qui lui donne une pension en 1665 et fait de ses comédiens la « Troupe du roi ».

● 1666 : LE TRIOMPHE DU *MÉDECIN MALGRÉ LUI*

En 1666, Molière a 44 ans et *Le Médecin malgré lui* est un triomphe, qui contrebalance une série d'échecs antérieurs. Cependant, Molière est déjà gravement malade, atteint d'une maladie pulmonaire dont il mourra en 1673.

VIE DE MOLIÈRE	**1622** Naissance de Jean-Baptiste Poquelin, dit Molière	**1643** Molière fonde l'« Illustre Théâtre »	**1645-1658** Départ et tournées en province	**1659** Retour à Paris : *Les Précieuses ridicules*
HISTOIRE	**1634** Fondation de l'Académie française	**1637** Corneille, *Le Cid*	**1643** Mort de Louis XIII, Régence d'Anne d'Autriche	**1648-1652** Fronde (révolte des parlements et des nobles contre le roi)

Que se passe-t-il à l'époque ?

Sur le plan politique

● LE RÈGNE DE LOUIS XIV

En 1666, Louis XIV est âgé de 28 ans. Depuis la mort de Mazarin, en 1661, il exerce un pouvoir sans partage.

● LA POLITIQUE ARTISTIQUE DU ROI

Louis XIV protège les artistes, chargés de renforcer la gloire de son règne. Il ordonne la construction du château de Versailles où il réside avec sa suite, la cour.

● GUERRES ET PAIX

Louis XIV déclare la guerre à l'Espagne en 1667 : il veut récupérer les possessions hollandaises dont son épouse serait l'héritière... Après la conquête de la Flandre, la paix est signée à Aix-la-Chapelle en 1668. Mais d'autres guerres viendront !

Dans le domaine des lettres

● LES TRAGÉDIES DE RACINE

À Paris, on joue encore les tragédies du vieux Corneille (60 ans), mais celles du jeune Racine (27 ans), dont la première pièce, *La Thébaïde*, est jouée par... Molière, commencent à les supplanter.

● LES SALONS

Dans les salons, on s'exerce à des jeux littéraires hérités de la mode précieuse : maximes, bouts rimés, sonnets, madrigaux...

● L'ACADÉMIE

L'Académie française est créée en 1634 : ses grammairiens imposent le beau parler et le respect des règles au théâtre, sous l'autorité unique du roi. Elle est chargée de rédiger une grammaire et un dictionnaire du français.

1666
Le Médecin malgré lui
Grave maladie

1668
L'Avare

1670
Le Bourgeois Gentilhomme

1671
Les Fourberies de Scapin

1673
Mort de Molière

1661
Début du règne personnel de Louis XIV
Travaux de Versailles

1662
Querelle sur les règles et la bienséance au théâtre

1664
Racine, *La Thébaïde*

1667-1668
Guerre contre l'Espagne
La Fontaine, *Fables*

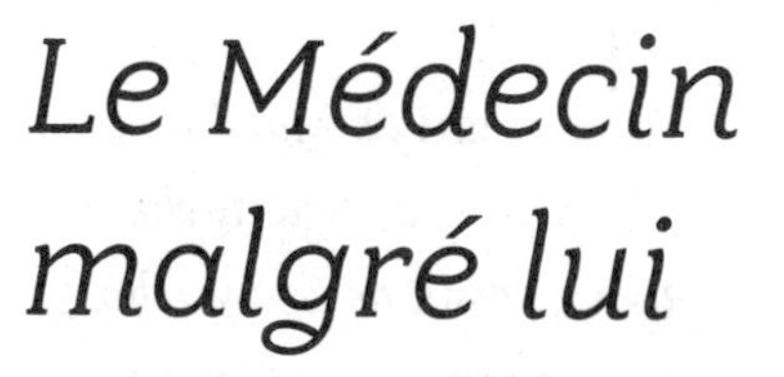

Le Médecin malgré lui

Le Médecin malgré lui

Comédie

LES PERSONNAGES

SGANARELLE, *mari de Martine.*
MARTINE, *femme de Sganarelle.*
M. ROBERT, *voisin de Sganarelle.*
VALÈRE, *domestique de Géronte.*
LUCAS, *mari de Jacqueline.*
GÉRONTE, *père de Lucinde.*
JACQUELINE, *nourrice chez Géronte et femme de Lucas.*
LUCINDE, *fille de Géronte.*
LÉANDRE, *amant de Lucinde.*
THIBAUT, *père de Perrin.*
PERRIN, *fils de Thibaut, paysan.*

Acte I

SCÈNE 1 – SGANARELLE, MARTINE

Paraissant sur le théâtre en se querellant.

SGANARELLE. – Non, je te dis que je n'en veux rien faire, et que c'est à moi de parler et d'être le maître.

MARTINE. – Et je te dis, moi, que je veux que tu vives à ma fantaisie, et que je ne suis point mariée avec toi pour souffrir tes
5 fredaines.

SGANARELLE. – Ô la grande fatigue que d'avoir une femme ! et qu'Aristote[1] a bien raison, quand il dit qu'une femme est pire qu'un démon !

MARTINE. – Voyez un peu l'habile homme, avec son benêt
10 d'Aristote !

SGANARELLE. – Oui, habile homme : trouve-moi un faiseur de fagots[2] qui sache, comme moi, raisonner des choses, qui ait servi six ans un fameux médecin●, et qui ait su, dans son jeune âge, son rudiment[3] par cœur.

15 MARTINE. – Peste du fou fieffé !

SGANARELLE. – Peste de la carogne !

1. **Aristote** : philosophe grec du IVe siècle avant Jésus-Christ, lu par les apprentis médecins de l'époque.
2. **Faiseur de fagots** : bûcheron. Au sens figuré, qui raconte des sornettes.
3. **Rudiment** : les bases de la grammaire latine.

● **Cette précision explique pourquoi Sganarelle maîtrise si bien le langage des médecins.**

MARTINE. – Que maudit soit l'heure et le jour où je m'avisai d'aller dire oui[1] !

SGANARELLE. – Que maudit soit le bec cornu de notaire qui me
20 fit signer ma ruine !

MARTINE. – C'est bien à toi, vraiment, à te plaindre de cette affaire. Devrais-tu être un seul moment sans rendre grâce au Ciel de m'avoir pour ta femme ? et méritais-tu d'épouser une personne comme moi ?

25 SGANARELLE. – Il est vrai que tu me fis trop d'honneur, et que j'eus lieu de me louer la première nuit de nos noces ! Hé ! morbleu ! ne me fais point parler là-dessus : je dirais de certaines choses...

MARTINE. – Quoi ? que dirais-tu ?

30 SGANARELLE. – Baste, laissons là ce chapitre. Il suffit que nous savons ce que nous savons, et que tu fus bien heureuse de me trouver.

MARTINE. – Qu'appelles-tu bien heureuse de te trouver ? Un homme qui me réduit à l'hôpital[2], un débauché, un traître, qui
35 me mange tout ce que j'ai ?

SGANARELLE. – Tu as menti : j'en bois une partie.

MARTINE. – Qui me vend, pièce à pièce, tout ce qui est dans le logis.

SGANARELLE. – C'est vivre de ménage.

MARTINE. – Qui m'a ôté jusqu'au lit que j'avais.

40 SGANARELLE. – Tu t'en lèveras plus matin.

MARTINE. – Enfin qui ne laisse aucun meuble dans toute la maison.

SGANARELLE. – On en déménage plus aisément.

MARTINE. – Et qui, du matin jusqu'au soir, ne fait que jouer et que boire.

1. **Dire oui** : me marier.
2. **Hôpital** : asile, hospice. On y loge les indigents.

45 SGANARELLE. – C'est pour ne me point ennuyer.

MARTINE. – Et que veux-tu, pendant ce temps, que je fasse avec ma famille ?

SGANARELLE. – Tout ce qu'il te plaira.

MARTINE. – J'ai quatre pauvres petits enfants sur les bras.

50 SGANARELLE. – Mets-les à terre●.

MARTINE. – Qui me demandent à toute heure du pain.

SGANARELLE. – Donne-leur le fouet : quand j'ai bien bu et bien mangé, je veux que tout le monde soit saoul[1] dans ma maison.

MARTINE. – Et tu prétends, ivrogne, que les choses aillent tou-
55 jours de même ?

SGANARELLE. – Ma femme, allons tout doucement, s'il vous plaît.

MARTINE. – Que j'endure éternellement tes insolences et tes débauches ?

SGANARELLE. – Ne nous emportons point, ma femme.

60 MARTINE. – Et que je ne sache pas trouver le moyen de te ranger à ton devoir ?

SGANARELLE. – Ma femme, vous savez que je n'ai pas l'âme endurante[2], et que j'ai le bras assez bon.

MARTINE. – Je me moque de tes menaces.

65 SGANARELLE. – Ma petite femme, ma mie, votre peau vous démange, à votre ordinaire.

MARTINE. – Je te montrerai bien que je ne te crains nullement.

SGANARELLE. – Ma chère moitié, vous avez envie de me dérober quelque chose.

70 MARTINE. – Crois-tu que je m'épouvante de tes paroles ?

SGANARELLE. – Doux objet de mes vœux, je vous frotterai les oreilles.

1. **Saoul** : rassasié.
2. **Je n'ai pas l'âme endurante** : je manque de patience.

● **Sganarelle joue sur les mots et ne prend pas au sérieux les récriminations de Martine.**

MARTINE. – Ivrogne que tu es !

SGANARELLE. – Je vous battrai.

75 MARTINE. – Sac à vin !

SGANARELLE. – Je vous rosserai.

MARTINE. – Infâme !

SGANARELLE. – Je vous étrillerai.

MARTINE. – Traître, insolent, trompeur, lâche, coquin, pendard,
80 gueux, belître[1], fripon, maraud, voleur... !

SGANARELLE. *(Il prend un bâton et lui en donne.)* – Ah ! vous en voulez donc ?

MARTINE. – Ah ! ah, ah, ah !

SGANARELLE. – Voilà le vrai moyen de vous apaiser.

SCÈNE 2 – M. ROBERT, SGANARELLE, MARTINE

85 M. ROBERT. – Holà ! holà ! holà ! Fi ! Qu'est-ce ci ? Quelle infamie ! Peste soit le coquin, de battre ainsi sa femme !

MARTINE, *les mains sur les côtés, lui parle en le faisant reculer, et à la fin lui donne un soufflet*[2]. – Et je veux qu'il me batte, moi.

M. ROBERT. – Ah ! j'y consens de tout mon cœur.

90 MARTINE. – De quoi vous mêlez-vous ?

M. ROBERT. – J'ai tort.

MARTINE. – Est-ce là votre affaire ?

M. ROBERT. – Vous avez raison.

MARTINE. – Voyez un peu cet impertinent, qui veut empêcher les
95 maris de battre leurs femmes.

M. ROBERT. – Je me rétracte.

1. **Belître** : coquin.
2. **Soufflet** : gifle.

MARTINE. – Qu'avez-vous à voir là-dessus ?

M. ROBERT. – Rien.

MARTINE. – Est-ce à vous, d'y mettre le nez ?

100 M. ROBERT. – Non.

MARTINE. – Mêlez-vous de vos affaires.

M. ROBERT. – Je ne dis plus mot.

MARTINE. – Il me plaît d'être battue.

M. ROBERT. – D'accord.

105 MARTINE. – Ce n'est pas à vos dépens.

M. ROBERT. – Il est vrai.

MARTINE. – Et vous êtes un sot, de venir vous fourrer où vous n'avez que faire.

M. ROBERT *(Il passe ensuite vers le mari, qui pareillement, lui parle*
110 *toujours en le faisant reculer, le frappe avec le même bâton et le met en fuite ; il dit à la fin :)* – Compère, je vous demande pardon de tout mon cœur. Faites, rossez, battez, comme il faut, votre femme ; je vous aiderai, si vous le voulez.

SGANARELLE. – Il ne me plaît pas, moi.

115 M. ROBERT. – Ah ! c'est une autre chose.

SGANARELLE. – Je la veux battre, si je le veux ; et ne la veux pas battre, si je ne le veux pas.

M. ROBERT. – Fort bien.

SGANARELLE. – C'est ma femme, et non pas la vôtre.

120 M. ROBERT. – Sans doute.

SGANARELLE. – Vous n'avez rien à me commander.

M. ROBERT. – D'accord.

SGANARELLE. – Je n'ai que faire de votre aide.

M. ROBERT. – Très volontiers.

125 SGANARELLE. – Et vous êtes un impertinent, de vous ingérer[1] des affaires d'autrui. Apprenez que Cicéron dit qu'entre l'arbre et le doigt il ne faut point mettre l'écorce●. *(Ensuite, il revient vers sa femme, et lui dit, en lui pressant la main.)* Ô çà, faisons la paix nous deux. Touche là.

130 MARTINE. – Oui ! après m'avoir ainsi battue !

SGANARELLE. – Cela n'est rien, touche.

MARTINE. – Je ne veux pas.

SGANARELLE. – Eh !

MARTINE. – Non.

135 SGANARELLE. – Ma petite femme !

MARTINE. – Point.

SGANARELLE. – Allons, te dis-je.

MARTINE. – Je n'en ferai rien.

SGANARELLE. – Viens, viens, viens.

140 MARTINE. – Non : je veux être en colère.

SGANARELLE. – Fi ! c'est une bagatelle. Allons, allons.

MARTINE. – Laisse-moi là.

SGANARELLE. – Touche, te dis-je.

MARTINE. – Tu m'as trop maltraitée.

145 SGANARELLE. – Eh bien va, je te demande pardon : mets là ta main.

MARTINE. – Je te pardonne ; (*elle dit le reste bas*) mais tu le payeras.

SGANARELLE. – Tu es une folle de prendre garde à cela : ce sont petites choses qui sont de temps en temps nécessaires dans l'amitié ; et cinq ou six coups de bâton, entre gens qui s'aiment,

150 ne font que ragaillardir[2] l'affection. Va, je m'en vais au bois, et je te promets aujourd'hui plus d'un cent de fagots.

1. **De vous ingérer** : de vous mêler. Le verbe se construit avec une préposition aujourd'hui « de vous ingérer dans... ».
2. **Ragaillardir** : raviver.

● **Sganarelle use d'un argument d'autorité en attribuant ce proverbe – dit de travers – à Cicéron, célèbre orateur romain (106-43 av. J. C.)**

SCÈNE 3 – MARTINE, *SEULE*.

Va, quelque mine que je fasse, je n'oublie pas mon ressentiment[1] ; et je brûle en moi-même de trouver les moyens de te punir des coups que tu me donnes. Je sais bien qu'une femme
155 a toujours dans les mains de quoi se venger d'un mari ; mais c'est une punition trop délicate pour mon pendard : je veux une vengeance qui se fasse un peu mieux sentir ; et ce n'est pas contentement pour l'injure que j'ai reçue.

SCÈNE 4 – VALÈRE, LUCAS, MARTINE

LUCAS. – Parguenne[2] ! j'avons pris là tous deux une gueble[3] de
160 commission ; et je ne sais pas, moi, ce que je pensons attraper.

VALÈRE. – Que veux-tu, mon pauvre nourricier[4] ? il faut bien obéir à notre maître ; et puis nous avons intérêt, l'un et l'autre, à la santé de sa fille, notre maîtresse ; et sans doute son mariage, différé par sa maladie, nous vaudrait quelque récompense. Ho-
165 race, qui est libéral, a bonne part aux prétentions qu'on peut avoir sur sa personne ; et quoiqu'elle ait fait voir de l'amitié pour un certain Léandre, tu sais bien que son père n'a jamais voulu consentir à le recevoir pour son gendre●.

MARTINE, *rêvant à part elle*. – Ne puis-je point trouver quelque
170 invention pour me venger ?

1. **Ressentiment** : rancune.
2. **Parguenne** : « par le diable », déformé avec une prononciation paysanne.
3. **Gueble** : déformation de « diable ». Une tâche difficile.
4. **Nourricier** : le mari de la nourrice, Jacqueline, qui apparaît plus loin.

● **Réplique importante qui annonce une situation classique de comédie : deux prétendants se disputent la main de la même jeune fille, l'un choisi par le père et l'autre aimé de la fille.**

LUCAS. – Mais quelle fantaisie s'est-il boutée[1] là dans la tête, puisque les médecins y avont tous pardu leur latin● ?

VALÈRE. – On trouve quelquefois, à force de chercher, ce qu'on ne trouve pas d'abord ; et souvent, en de simples lieux...

175 MARTINE. – Oui, il faut que je m'en venge à quelque prix que ce soit : ces coups de bâton me reviennent au cœur, je ne les saurais digérer, et... *(Elle dit tout ceci en rêvant, de sorte que, ne prenant pas garde à ces deux hommes, elle les heurte en se retournant, et leur dit :)* Ah ! Messieurs, je vous demande pardon ; je

180 ne vous voyais pas, et cherchais dans ma tête quelque chose qui m'embarrasse.

VALÈRE. – Chacun a ses soins[2] dans le monde, et nous cherchons aussi ce que nous voudrions bien trouver.

MARTINE. – Serait-ce quelque chose où je vous puisse aider ?

185 VALÈRE. – Cela se pourrait faire ; et nous tâchons de rencontrer quelque habile homme, quelque médecin particulier, qui pût donner quelque soulagement à la fille de notre maître, attaquée d'une maladie qui lui a ôté tout d'un coup l'usage de la langue. Plusieurs médecins ont déjà épuisé toute leur science après elle :

190 mais on trouve parfois des gens avec des secrets admirables, de certains remèdes particuliers, qui font le plus souvent ce que les autres n'ont su faire ; et c'est là ce que nous cherchons.

MARTINE. *(Elle dit ces premières lignes bas.)* – Ah ! que le Ciel m'inspire une admirable invention pour me venger de mon pen-

195 dard ! (*Haut.*) Vous ne pouviez jamais vous mieux adresser pour rencontrer ce que vous cherchez ; et nous avons ici un homme, le plus merveilleux homme du monde, pour les maladies désespérées.

1. **Boutée** : mise.
2. **Soins** : soucis.

● **Lucas parle de manière incorrecte. C'est un procédé classique pour montrer qu'il est un paysan ignorant.**

VALÈRE. – Et de grâce, où pouvons-nous le rencontrer ?

200 MARTINE. – Vous le trouverez maintenant vers ce petit lieu que voilà, qui s'amuse à couper du bois.

LUCAS. – Un médecin qui coupe du bois !

VALÈRE. – Qui s'amuse à cueillir des simples[1], voulez-vous dire ?

MARTINE. – Non : c'est un homme extraordinaire qui se plaît à
205 cela, fantasque, bizarre, quinteux[2], et que vous ne prendriez jamais pour ce qu'il est. Il va vêtu d'une façon extravagante, affecte quelquefois de paraître ignorant, tient sa science renfermée, et ne fuit rien tant tous les jours que d'exercer les merveilleux talents qu'il a eus du Ciel pour la médecine●.

210 VALÈRE. – C'est une chose admirable, que tous les grands hommes ont toujours du caprice, quelque petit grain de folie mêlé à leur science.

MARTINE. – La folie de celui-ci est plus grande qu'on ne peut croire, car elle va parfois jusqu'à vouloir être battu pour demeurer
215 d'accord de sa capacité ; et je vous donne avis que vous n'en viendrez pas à bout, qu'il n'avouera jamais qu'il est médecin, s'il se le met en fantaisie, que vous ne preniez chacun un bâton, et ne le réduisiez, à force de coups, à vous confesser à la fin ce qu'il vous cachera d'abord. C'est ainsi que nous en usons
220 quand nous avons besoin de lui.

VALÈRE. – Voilà une étrange folie !

MARTINE. – Il est vrai ; mais, après cela, vous verrez qu'il fait des merveilles.

VALÈRE. – Comment s'appelle-t-il ?

225 MARTINE. – Il s'appelle Sganarelle ; mais il est aisé à connaître : c'est un homme qui a une large barbe noire, et qui porte une fraise, avec un habit jaune et vert.

1. **Simples** : plantes médicinales (voir « L'enquête », p. 90).
2. **Quinteux** : qui tousse, traduit un caractère difficile.

● **Qu'un médecin se déguise en bûcheron est incroyable.**

LUCAS. – Un habit jaune et vart● ! C'est donc, le médecin des paroquets[1].

230 VALÈRE. – Mais est-il bien vrai qu'il soit si habile que vous le dites ?

MARTINE. – Comment ? C'est un homme qui fait des miracles. Il y a six mois qu'une femme fut abandonnée de tous les autres médecins : on la tenait morte, il y avait déjà six heures, et l'on se disposait à l'ensevelir, lorsqu'on y fit venir de force l'homme 235 dont nous parlons. Il lui mit, l'ayant vue, une petite goutte de je ne sais quoi dans la bouche, et, dans le même instant, elle se leva de son lit, et se mit aussitôt à se promener dans sa chambre, comme si de rien n'eût été.

LUCAS. – Ah !

240 VALÈRE. – Il fallait que ce fût quelque goutte d'or potable[2].

MARTINE. – Cela pourrait bien être. Il n'y a pas trois semaines encore qu'un jeune enfant de douze ans tomba du haut du clocher en bas, et se brisa, sur le pavé, la tête, les bras et les jambes. On n'y eut pas plus tôt amené notre homme, qu'il le frotta 245 par tout le corps d'un certain onguent qu'il sait faire ; et l'enfant aussitôt se leva sur ses pieds, et courut jouer à la fossette[3].

LUCAS. – Ah !

VALÈRE. – Il faut que cet homme-là ait la médecine universelle.

MARTINE. – Qui en doute ?

250 LUCAS. – Testigué ! velà justement l'homme qu'il nous faut. Allons vite le chercher.

VALÈRE. – Nous vous remercions du plaisir que vous nous faites.

MARTINE. – Mais souvenez-vous bien au moins de l'avertissement que je vous ai donné.

1. **Paroquets** : perroquets.
2. **Or potable** : potion contenant de l'or, auquel on attribuait des vertus curatives miraculeuses (voir « L'enquête », p. 92).
3. **Fossette** : jeu où l'on lance des billes dans un petit trou.

● **Le médecin se reconnaît à son habit, d'où la stupéfaction de Lucas en apprenant que Sganarelle est en jaune et vert.**

255 LUCAS. – Eh, morguenne ! laissez-nous faire : s'il ne tient qu'à battre, la vache est à nous[1].

VALÈRE. – Nous sommes bien heureux d'avoir fait cette rencontre ; et j'en conçois, pour moi, la meilleure espérance du monde.

SCÈNE 5 – SGANARELLE, VALÈRE, LUCAS

SGANARELLE, *entre sur le théâtre en chantant et tenant une bouteille.*
260 – La, la, la.

VALÈRE. – J'entends quelqu'un qui chante, et qui coupe du bois.

SGANARELLE. – La, la, la... Ma foi, c'est assez travaillé pour boire un coup. Prenons un peu d'haleine. *(Il boit, et dit après avoir bu :)* Voilà du bois qui est salé[2] comme tous les diables.

265 *Qu'ils sont doux*
Bouteille jolie,
Qu'ils sont doux
Vos petits glou-gloux !
Mais mon sort ferait bien des
270 *jaloux,*
Si vous étiez toujours remplie.
Ah ! bouteille, ma mie,
Pourquoi vous videz-vous ?

Allons, morbleu ! il ne faut point engendrer de mélancolie.

275 VALÈRE. – Le voilà lui-même.

1. **La vache est à nous** : image paysanne pour dire que le marché est conclu.
2. **Qui est salé** : qui donne soif.

LUCAS. – Je pense que vous dites vrai, et que j'avons bouté[1] le nez dessus.

VALÈRE. – Voyons de près.

SGANARELLE, *les apercevant, les regarde en se tournant vers l'un et*
280 *puis vers l'autre, et, abaissant sa voix, dit :* – Ah ! ma petite friponne ! que je t'aime, mon petit bouchon ! *(Il chante)*

... Mon sort... ferait... bien des.... jaloux,

Si...

Que diable ! à qui en veulent ces gens-là ?

285 VALÈRE. – C'est lui assurément.

LUCAS. – Le velà tout craché comme on nous l'a défiguré[2].

SGANARELLE, *à part. (Ici il pose la bouteille à terre, et Valère se baissant pour le saluer, comme il croit que c'est à dessein de la prendre, il la met de l'autre côté ; ensuite de quoi, Lucas faisant la même chose,*
290 *il la reprend et la tient contre son estomac, avec divers gestes qui font un grand jeu de théâtre.)* – Ils consultent en me regardant. Quel dessein auraient-ils ?

VALÈRE. – Monsieur, n'est-ce pas vous qui vous appelez Sganarelle ?

SGANARELLE. – Eh quoi ?

295 VALÈRE. – Je vous demande si ce n'est pas vous qui se nomme[3] Sganarelle.

SGANARELLE, *se tournant vers Valère, puis vers Lucas.* – Oui, et non, selon ce que vous lui voulez.

VALÈRE. – Nous ne voulons que lui faire toutes les civilités que
300 nous pourrons.

SGANARELLE. – En ce cas, c'est moi qui se nomme Sganarelle.

VALÈRE. – Monsieur, nous sommes ravis de vous voir. On nous a adressés à vous pour ce que nous cherchons ; et nous venons implorer votre aide, dont nous avons besoin.

1. **Bouté** : mis.
2. **Défiguré** : décrit.
3. **Qui se nomme** : tournure incorrecte pour « qui vous nommez ».

305 SGANARELLE. – Si c'est quelque chose, Messieurs, qui dépende de mon petit négoce[1], je suis tout prêt à vous rendre service.

VALÈRE. – Monsieur, c'est trop de grâce que vous nous faites. Mais, Monsieur, couvrez-vous, s'il vous plaît ; le soleil pourrait vous incommoder.

310 LUCAS. – Monsieu, boutez dessus[2].

SGANARELLE, *bas.* – Voici des gens bien pleins de cérémonie.

VALÈRE. – Monsieur, il ne faut pas trouver étrange que nous venions à vous : les habiles gens sont toujours recherchés, et nous sommes instruits de votre capacité●.

315 SGANARELLE. – Il est vrai, Messieurs, que je suis le premier homme du monde, pour faire des fagots.

VALÈRE. – Ah ! Monsieur...

SGANARELLE. – Je n'y épargne aucune chose, et les fais d'une façon qu'il n'y a rien à dire.

320 VALÈRE. – Monsieur, ce n'est pas cela dont il est question.

SGANARELLE. – Mais aussi je les vends cent dix sols le cent.

VALÈRE. – Ne parlons point de cela, s'il vous plaît.

SGANARELLE. – Je vous promets que je ne saurais les donner à moins.

325 VALÈRE. – Monsieur, nous savons les choses.

SGANARELLE. – Si vous savez les choses, vous savez que je les vends cela.

VALÈRE. – Monsieur, c'est se moquer que...

SGANARELLE. – Je ne me moque point, je n'en puis rien rabattre.

330 VALÈRE. – Parlons d'autre façon, de grâce.

SGANARELLE. – Vous en pourrez trouver autre part à moins : il y a fagots et fagots ; mais pour ceux que je fais...

1. **Négoce** : commerce. Sganarelle vend du bois de chauffage, des « fagots ».
2. **Boutez dessus** : mettez votre chapeau sur votre tête.

● **Valère et Sganarelle emploient des termes généraux qui prêtent à confusion, source du quiproquo* de cette scène.**

VALÈRE. – Eh ? Monsieur, laissons là ce discours.

SGANARELLE. – Je vous jure que vous ne les auriez pas, s'il s'en
335 fallait un double[1].

VALÈRE. – Eh fi !

SGANARELLE. – Non, en conscience, vous en payerez cela. Je vous parle sincèrement, et ne suis pas homme à surfaire.

VALÈRE. – Faut-il, Monsieur, qu'une personne comme vous s'amu-
340 se à ces grossières feintes[2] ? s'abaisse à parler de la sorte ? qu'un homme si savant, un fameux médecin, comme vous êtes, veuille se déguiser aux yeux du monde, et tenir enterrés les beaux talents qu'il a ?

SGANARELLE, *à part*. – Il est fou.

345 VALÈRE. – De grâce, Monsieur, ne dissimulez point avec nous.

SGANARELLE. – Comment ?

LUCAS. – Tout ce tripotage[3] ne sart de rian ; je savons ce que je savons.

SGANARELLE. – Quoi donc ? que me voulez-vous dire ? Pour qui
350 me prenez-vous ?

VALÈRE. – Pour ce que vous êtes, pour un grand médecin.

SGANARELLE. – Médecin vous-même : je ne le suis point et ne l'ai jamais été.

VALÈRE, *bas*. – Voilà sa folie qui le tient. *(Haut.)* Monsieur, ne
355 veuillez point nier les choses davantage ; et n'en venons point, s'il vous plaît, à de fâcheuses extrémités.

SGANARELLE. – À quoi donc ?

VALÈRE. – À de certaines choses dont nous serions marris[4].

SGANARELLE. – Parbleu ! venez-en à tout ce qu'il vous plaira : je
360 ne suis point médecin, et ne sais ce que vous me voulez dire.

1. **Double** : petite pièce de monnaie. Sganarelle ne veut pas négocier, même pour un centime.
2. **Feintes** : simulations.
3. **Tripotage** : mélange, complication (terme populaire).
4. **Marris** : attristés, chagrinés.

VALÈRE, *bas.* – Je vois bien qu'il faut se servir du remède. (*Haut.*) Monsieur, encore un coup, je vous prie d'avouer ce que vous êtes.

LUCAS. – Et testigué ! ne lantiponez[1] point davantage, et confessez à la franquette que v'êtes médecin.

365 SGANARELLE. – J'enrage.

VALÈRE. – À quoi bon nier ce qu'on sait ?

LUCAS. – Pourquoi toutes ces fraimes-là[2] ? et à quoi est-ce que ça vous sart ?

SGANARELLE. – Messieurs, en un mot autant qu'en deux mille, je
370 vous dis que je ne suis point médecin.

VALÈRE. – Vous n'êtes point médecin ?

SGANARELLE. – Non.

LUCAS. – V'n'êtes pas médecin ?

SGANARELLE. – Non, vous dis-je.

375 VALÈRE. – Puisque vous le voulez, il faut s'y résoudre.

(Ils prennent un bâton, et le frappent.)

SGANARELLE. – Ah ! ah ! ah ! Messieurs, je suis tout ce qu'il vous plaira.

VALÈRE. – Pourquoi, Monsieur, nous obligez-vous à cette violence ?

380 LUCAS. – À quoi bon nous bailler[3] la peine de vous battre ?

VALÈRE. – Je vous assure que j'en ai tous les regrets du monde.

LUCAS. – Par ma figué[4] ! j'en sis fâché, franchement.

SGANARELLE. – Que diable est-ce ci, Messieurs ? De grâce, est-ce pour rire, ou si tous deux vous extravaguez, de vouloir que je sois médecin ?

385 VALÈRE. – Quoi ? vous ne vous rendez pas encore, et vous vous défendez d'être médecin ?

SGANARELLE. – Diable emporte si je le suis !

1. **Lantiponez** : de lanterner, traîner, par déformation paysanne.
2. **Fraimes** : frimes, déguisement, mauvais accueil.
3. **Bailler** : donner. Verbe ancien qui n'est plus employé.
4. **Par ma figué** : par ma foi. Nouvelle déformation paysanne.

LUCAS. – Il n'est pas vrai qu'ous sayez médecin ?

SGANARELLE. – Non, la peste m'étouffe ! *(Là ils recommencent de le*
390 *battre.)* Ah ! Ah ! Eh bien, Messieurs, oui, puisque vous le voulez, je suis médecin, je suis médecin ; apothicaire encore, si vous le trouvez bon. J'aime mieux consentir à tout que de me faire assommer.

VALÈRE. – Ah ! voilà qui va bien, Monsieur : je suis ravi de vous
395 voir raisonnable.

LUCAS. – Vous me boutez la joie au cœur, quand je vous voi parler comme ça.

VALÈRE. – Je vous demande pardon de toute mon âme.

LUCAS. – Je vous demandons excuse de la libarté que j'avons prise.

400 SGANARELLE, *à part*. – Ouais ! serait-ce bien moi qui me tromperais, et serais-je devenu médecin sans m'en être aperçu ?

VALÈRE. – Monsieur, vous ne vous repentirez pas de nous montrer ce que vous êtes ; et vous verrez assurément que vous en serez satisfait.

405 SGANARELLE. – Mais, Messieurs, dites-moi, ne vous trompez-vous point vous-mêmes ? Est-il bien assuré que je sois médecin ?

LUCAS. – Oui, par ma figué !

SGANARELLE. – Tout de bon ?

VALÈRE. – Sans doute.

410 SGANARELLE. – Diable emporte si je le savais !

VALÈRE. – Comment ? vous êtes le plus habile médecin du monde.

SGANARELLE. – Ah ! ah !

LUCAS. – Un médecin qui a gari[1] je ne sais combien de maladies.

SGANARELLE. – Tudieu !

1. **Gari** : guéri.

Le Médecin malgré lui, Acte I, scène 5, gravure, Paris, BNF.

415 VALÈRE. – Une femme était tenue pour morte il y avait six heures ; elle était prête à ensevelir, lorsque, avec une goutte de quelque chose, vous la fîtes revenir et marcher d'abord par la chambre.

SGANARELLE. – Peste !

LUCAS. – Un petit enfant de douze ans se laissit choir du haut
420 d'un clocher, de quoi il eut la tête, les jambes, et les bras cassés ; et vous, avec je ne sais quel onguent, vous fîtes qu'aussitôt il se relevit sur ses pieds, et s'en fut jouer à la fossette.

SGANARELLE. – Diantre !

VALÈRE. – Enfin, Monsieur, vous aurez contentement avec nous ;
425 et vous gagnerez ce que vous voudrez, en vous laissant conduire où nous prétendons vous mener.

SGANARELLE. – Je gagnerai ce que je voudrai ?

VALÈRE. – Oui.

SGANARELLE. – Ah ! je suis médecin, sans contredit : je l'avais
430 oublié, mais je m'en ressouviens. De quoi est-il question ? Où faut-il se transporter ?

VALÈRE. – Nous vous conduirons. Il est question d'aller voir une fille qui a perdu la parole.

SGANARELLE. – Ma foi ! je ne l'ai pas trouvée.

435 VALÈRE. – Il aime à rire. Allons, Monsieur.

SGANARELLE. – Sans une robe de médecin● ?

VALÈRE. – Nous en prendrons une.

SGANARELLE, *présentant sa bouteille à Valère.* – Tenez cela, vous : voilà où je mets mes juleps[1]. *(Puis se tournant vers Lucas en cra-*
440 *chant.)* Vous, marchez là-dessus, par ordonnance du médecin.

LUCAS. – Palsanguenne ! velà un médecin qui me plaît : je pense qu'il réussira, car il est bouffon[2].

1. **Juleps** : potion douce et agréable que l'on donne aux malades. Le mot se prononce « julet ».
2. **Bouffon** : comique.

● **Le costume fait le médecin...** **(voir « L'enquête », p. 86).**

Acte II

SCÈNE 1 – GÉRONTE, VALÈRE, LUCAS, JACQUELINE

VALÈRE. – Oui, Monsieur, je crois que vous serez satisfait ; et nous vous avons amené le plus grand médecin du monde.

445 LUCAS. – Oh ! morguenne ! il faut tirer l'échelle après ceti-là, et tous les autres ne sont pas daignes de li déchausser ses souillez●.

VALÈRE. – C'est un homme qui a fait des cures merveilleuses.

LUCAS. – Qui a gari des gens qui estiant morts.

450 VALÈRE. – Il est un peu capricieux, comme je vous ai dit ; et parfois il a des moments où son esprit s'échappe et ne paraît pas ce qu'il est.

LUCAS. – Oui, il aime à bouffonner ; et l'an dirait par fois, ne v's en déplaise, qu'il a quelque petit coup de hache à la tête[1].

455 VALÈRE. – Mais, dans le fond, il est toute science, et bien souvent il dit des choses tout à fait relevées.

LUCAS. – Quand il s'y boute[2], il parle tout fin drait, comme s'il lisait dans un livre.

VALÈRE. – Sa réputation s'est déjà répandue ici, et tout le monde
460 vient à lui.

GÉRONTE. – Je meurs d'envie de le voir ; faites-le-moi vite venir.

VALÈRE. – Je le vais quérir.

JACQUELINE. – Par ma fi, Monsieu, ceti-ci fera justement ce qu'ant fait les autres. Je pense que ce sera queussi queumi[3] ;
465 et la meilleure médeçaine que l'an pourrait bailler à votre fille,

1. **Il a quelque petit coup de hache à la tête** : Il est un peu dérangé.
2. **S'y bouter** : s'y mettre, se pencher sur un problème.
3. **Queussi queumi** : du pareil au même.

● **Il est le meilleur et les autres ne sont pas dignes de le déchausser. Hyperbole comique.**

ce serait, selon moi, un biau et bon mari, pour qui elle eût de l'amiquié●.

GÉRONTE. – Ouais ! Nourrice, ma mie, vous vous mêlez de bien des choses.

470 LUCAS. – Taisez-vous, notre ménagère[1] Jaquelaine : ce n'est pas à vous à bouter là votre nez.

JACQUELINE. – Je vous dis et vous douze[2] que tous ces médecins n'y feront rian que de l'iau claire[3] ; que votre fille a besoin d'autre chose que de ribarbe et de sené[4], et qu'un mari est une
475 emplâtre qui garit tous les maux des filles.

GÉRONTE. – Est-elle en état maintenant, qu'on s'en voulût charger[5], avec l'infirmité qu'elle a ? Et lorsque j'ai été dans le dessein de la marier, ne s'est-elle pas opposée à mes volontés ?

JACQUELINE. – Je le crois bian : vous li vouilliez bailler cun[6]
480 homme qu'alle n'aime point. Que ne preniais-vous ce Monsieu Liandre, qui li touchait au cœur ? Alle aurait été fort obéissante ; et je m'en vas gager qu'il la prendrait, li, comme alle est, si vous la li vouillais donner.

GÉRONTE. – Ce Léandre n'est pas ce qu'il lui faut : il n'a pas du
485 bien[7] comme l'autre.

JACQUELINE. – Il a un oncle qui est si riche, dont il est hériquié.

GÉRONTE. – Tous ces biens à venir me semblent autant de chansons. Il n'est rien tel que ce qu'on tient ; et l'on court grand risque de s'abuser, lorsque l'on compte sur le bien qu'un autre
490 vous garde. La mort n'a pas toujours les oreilles ouvertes aux

1. **Ménagère** : épouse.
2. **Vous dis et vous douze** : jeu de mots campagnard qui renforce l'affirmation.
3. **Rian que de l'iau claire** : autant lui faire boire de l'eau.
4. **Ribarbe, séné** : médicaments.
5. **Qu'on s'en voulût charger** : qu'on veuille l'épouser.
6. **Cun** : qu'un.
7. **Du bien** : des richesses.

● **Jacqueline explique ici que Lucinde simule la maladie pour ne pas se marier.**

vœux et aux prières de Messieurs les héritiers ; et l'on a le temps d'avoir les dents longues[1], lorsqu'on attend, pour vivre, le trépas de quelqu'un.

JACQUELINE. – Enfin j'ai toujours ouï dire qu'en mariage, comme
495 ailleurs, contentement passe richesse. Les pères et les mères ant cette maudite couteume de demander toujours : « Qu'a-t-il ? » et : « Qu'a-t-elle ? » et le compère Biarre a marié sa fille Simonette au gros Thomas pour un quarquié de vaigne[2] qu'il avait davantage que le jeune Robin, où alle avait bouté son
500 amiquié ; et velà que la pauvre creiature en est devenue jaune comme un coing, et n'a point profité tout depuis ce temps-là. C'est un bel exemple pour vous, Monsieu. On n'a que son plaisir en ce monde ; et j'aimerais mieux bailler à ma fille un bon mari qui li fût agriable, que toutes les rentes de la Biausse[3].

505 GÉRONTE. – Peste ! Madame la Nourrice, comme vous dégoisez[4] ! Taisez-vous, je vous prie : vous prenez trop de soin, et vous échauffez votre lait.

LUCAS *(En disant ceci, il frappe sur la poitrine de Géronte.)*
– Morgué ! tais-toi, t'es cune[5] impartinante. Monsieu n'a que
510 faire de tes discours, et il sait ce qu'il a à faire. Mêle-toi de donner à teter à ton enfant, sans tant faire la raisonneuse. Monsieur est le père de sa fille, et il est bon et sage pour voir ce qu'il li faut.

GÉRONTE. – Tout doux ! oh ! tout doux !

515 LUCAS. – Monsieu, je veux un peu la mortifier, et li apprendre le respect qu'alle vous doit.

GÉRONTE. – Oui ; mais ces gestes ne sont pas nécessaires.

1. **Avoir les dents longues** : avoir faim.
2. **Un quarquié de vaigne** : un champ de vigne.
3. **Biausse** : la Beauce, riche région agricole.
4. **Dégoiser** : parler trop et mal.
5. **Cune** : qu'une.

SCÈNE 2 – VALÈRE, SGANARELLE, GÉRONTE, LUCAS, JACQUELINE

VALÈRE. – Monsieur, préparez-vous. Voici notre médecin qui entre.

GÉRONTE. – Monsieur, je suis ravi de vous voir chez moi, et nous
520 avons grand besoin de vous.

SGANARELLE, *en robe de médecin, avec un chapeau des plus pointus.* – Hippocrate● dit... que nous nous couvrions tous deux.

GÉRONTE. – Hippocrate dit cela ?

SGANARELLE. – Oui.

525 GÉRONTE. – Dans quel chapitre, s'il vous plaît ?

SGANARELLE. – Dans son chapitre des chapeaux.

GÉRONTE. – Puisque Hippocrate le dit, il le faut faire.

SGANARELLE. – Monsieur le médecin, ayant appris les merveilleuses choses...

530 GÉRONTE. – À qui parlez-vous, de grâce ?

SGANARELLE. – À vous.

GÉRONTE. – Je ne suis pas médecin.

SGANARELLE. – Vous n'êtes pas médecin ?

GÉRONTE. – Non vraiment.

535 SGANARELLE. *(Il prend ici un bâton, et le bat, comme on l'a battu.)* – Tout de bon ?

GÉRONTE. – Tout de bon. Ah ! ah ! ah !

SGANARELLE. – Vous êtes médecin maintenant : je n'ai jamais eu d'autres licences[1].

540 GÉRONTE. – Quel diable d'homme m'avez-vous là amené ?

VALÈRE. – Je vous ai bien dit que c'était un médecin goguenard.

GÉRONTE. – Oui ; mais je l'enverrais promener avec ses goguenarderies.

1. **Licences** : titres, diplômes.

● **À l'époque, un médecin connaît par cœur les textes « anciens » sur la médecine. Sganarelle joue bien le rôle en émaillant son discours de fausses citations d'Hippocrate, médecin grec de l'antiquité.**

LUCAS. – Ne prenez pas garde à ça, Monsieu : ce n'est que pour
545 rire.

GÉRONTE. – Cette raillerie ne me plaît pas.

SGANARELLE. – Monsieur, je vous demande pardon de la liberté que j'ai prise.

GÉRONTE. – Monsieur, je suis votre serviteur.

550 SGANARELLE. – Je suis fâché...

GÉRONTE. – Cela n'est rien.

SGANARELLE. – Des coups de bâton...

GÉRONTE. – Il n'y a pas de mal.

SGANARELLE. – Que j'ai eu l'honneur de vous donner.

555 GÉRONTE. – Ne parlons plus de cela. Monsieur, j'ai une fille qui est tombée dans une étrange maladie.

SGANARELLE. – Je suis ravi, Monsieur, que votre fille ait besoin de moi ; et je souhaiterais de tout mon cœur que vous en eussiez besoin aussi, vous et toute votre famille, pour vous témoigner
560 l'envie que j'ai de vous servir.

GÉRONTE. – Je vous suis obligé de ces sentiments.

SGANARELLE. – Je vous assure que c'est du meilleur de mon âme que je vous parle.

GÉRONTE. – C'est trop d'honneur que vous me faites.

565 SGANARELLE. – Comment s'appelle votre fille ?

GÉRONTE. – Lucinde.

SGANARELLE. – Lucinde ! Ah ! beau nom à médicamenter ! Lucinde !

GÉRONTE. – Je m'en vais voir un peu ce qu'elle fait.

570 SGANARELLE. – Qui est cette grande femme-là ?

GÉRONTE. – C'est la nourrice d'un petit enfant que j'ai.

SGANARELLE. – Peste ! le joli meuble que voilà ! Ah ! Nourrice, charmante Nourrice, ma médecine est la très humble esclave de votre nourricerie, et je voudrais bien être le petit poupon for-
575 tuné qui tetât le lait de vos bonnes grâces *(il lui porte la main sur le sein)*. Tous mes remèdes, toute ma science, toute ma capacité est à votre service, et...

LUCAS. – Avec votre parmission, Monsieu le Médecin, laissez là ma femme, je vous prie.

580 SGANARELLE. – Quoi ? est-elle votre femme ?

LUCAS. – Oui.

SGANARELLE. *(Il fait semblant d'embrasser Lucas, et se tournant du côté de la Nourrice, il l'embrasse.)* – Ah ! vraiment, je ne savais pas cela , et je m'en réjouis pour l'amour de l'un et de l'autre.

585 LUCAS, *en le tirant*. – Tout doucement, s'il vous plaît.

SGANARELLE. – Je vous assure que je suis ravi que vous soyez unis ensemble. Je la félicite d'avoir *(il fait encore semblant d'embrasser Lucas, et, passant dessous ses bras, se jette au col de sa femme)* un mari comme vous ; et je vous félicite, vous, d'avoir une femme
590 si belle, si sage, et si bien faite, comme elle est.

LUCAS, *en le tirant encore*. – Eh ! testigué ! point tant de compliments, je vous supplie.

SGANARELLE. – Ne voulez-vous pas que je me réjouisse avec vous d'un si bel assemblage ?

595 LUCAS. – Avec moi, tant qu'il vous plaira ; mais avec ma femme, trêve de sarimonie.

SGANARELLE. – Je prends part également au bonheur de tous deux ; et *(il continue le même jeu)* si je vous embrasse pour vous en témoigner ma joie, je l'embrasse de même pour lui en
600 témoigner aussi.

LUCAS, *en le tirant derechef.* – Ah ! vartigué, Monsieu le Médecin, que de lantiponages[1].

SCÈNE 3 – SGANARELLE, GÉRONTE, LUCAS, JACQUELINE

GÉRONTE. – Monsieur, voici tout à l'heure[2] ma fille qu'on va vous amener.

605 SGANARELLE. – Je l'attends, Monsieur, avec toute la médecine.

GÉRONTE. – Où est-elle ?

SGANARELLE, *se touchant le front.* – Là-dedans.

GÉRONTE. – Fort bien.

SGANARELLE, *en voulant toucher les tétons de la nourrice.* – Mais
610 comme je m'intéresse à toute votre famille, il faut que j'essaye un peu le lait de votre nourrice, et que je visite son sein.

LUCAS, *le tirant, en lui faisant faire la pirouette.* – Nanin, nanin ; je n'avons que faire de ça.

SGANARELLE. – C'est l'office du médecin de voir les tétons des
615 nourrices.

LUCAS. – Il gnia office qui quienne, je sis votte sarviteur.

SGANARELLE. – As-tu bien la hardiesse de t'opposer au médecin ? Hors de là !

LUCAS. – Je me moque de ça.

620 SGANARELLE, *en le regardant de travers.* – Je te donnerai la fièvre.

JACQUELINE, *prenant Lucas par le bras, et lui faisant aussi faire la pirouette.* – Ôte-toi de là aussi ; est-ce que je ne sis pas assez grande pour me défendre moi-même, s'il me fait quelque chose qui ne soit pas à faire ?

1. **Lantiponages** : gesticulations, lenteurs.

2. **Tout à l'heure** : tout de suite.

625 LUCAS. – Je ne veux pas qu'il te tâte moi.

SGANARELLE. – Fi, le vilain, qui est jaloux de sa femme !

GÉRONTE. – Voici ma fille.

SCÈNE 4 – LUCINDE, VALÈRE, GÉRONTE, LUCAS, SGANARELLE, JACQUELINE

SGANARELLE. – Est-ce là la malade ?

GÉRONTE. – Oui, je n'ai qu'elle de fille ; et j'aurais tous les regrets
630 du monde si elle venait à mourir.

SGANARELLE. – Qu'elle s'en garde bien ! il ne faut pas qu'elle meure sans l'ordonnance du médecin.

GÉRONTE. – Allons, un siège.

SGANARELLE. – Voilà une malade qui n'est pas tant dégoûtante, et
635 je tiens qu'un homme bien sain s'en accommoderait assez.

GÉRONTE. – Vous l'avez fait rire, Monsieur.

SGANARELLE. – Tant mieux : lorsque le médecin fait rire le malade, c'est le meilleur signe du monde. Eh bien ! de quoi est-il question ? qu'avez-vous ? quel est le mal que vous sentez ?

640 LUCINDE *répond par signes, en portant sa main à sa bouche, à sa tête et sous son menton.* – Han, hi, hom, han.

SGANARELLE. – Eh ! que dites-vous ?

LUCINDE *continue les mêmes gestes.* – Han, hi, hom, han, han, hi, hom.

645 SGANARELLE. – Quoi ?

LUCINDE. – Han, hi, hom.

SGANARELLE, *la contrefaisant.* – Han, hi, hom, han, ha : je ne vous entends[1] point. Quel diable de langage est-ce là ?

1. **Entendre** : comprendre.

GÉRONTE. – Monsieur, c'est là sa maladie. Elle est devenue muet-
650 te, sans que jusques ici on en ait pu savoir la cause ; et c'est un accident qui a fait reculer son mariage.

SGANARELLE. – Et pourquoi ?

GÉRONTE. – Celui qu'elle doit épouser veut attendre sa guérison pour conclure les choses.

655 SGANARELLE. – Et qui est ce sot-là qui ne veut pas que sa femme soit muette ? Plût à Dieu que la mienne eût cette maladie ! je me garderais bien de la vouloir guérir.

GÉRONTE. – Enfin, Monsieur, nous vous prions d'employer tous vos soins pour la soulager de son mal.

660 SGANARELLE. – Ah ! ne vous mettez pas en peine. Dites-moi un peu, ce mal l'oppresse-t-il beaucoup ?

GÉRONTE. – Oui, Monsieur.

SGANARELLE. – Tant mieux. Sent-elle de grandes douleurs● ?

GÉRONTE. – Fort grandes.

665 SGANARELLE. – C'est fort bien fait. Va-t-elle où vous savez ?

GÉRONTE. – Oui.

SGANARELLE. – Copieusement ?

GÉRONTE. – Je n'entends rien à cela.

SGANARELLE. – La matière est-elle louable ?

670 GÉRONTE. – Je ne me connais pas à ces choses.

SGANARELLE, *se tournant vers la malade*. – Donnez-moi votre bras. Voilà un pouls qui marque que votre fille est muette.

GÉRONTE. – Eh oui, Monsieur, c'est là son mal ; vous l'avez trouvé tout du premier coup.

675 SGANARELLE. – Ah, ah !

JACQUELINE. – Voyez comme il a deviné sa maladie !

● **Sganarelle effectue de manière comique les actes d'une consultation (voir « L'enquête », p. 89).**

SGANARELLE. – Nous autres grands médecins, nous connaissons d'abord[1] les choses. Un ignorant aurait été embarrassé, et vous eût été dire : « C'est ceci, c'est cela » ; mais moi, je touche au
680 but du premier coup, et je vous apprends que votre fille est muette.

GÉRONTE. – Oui ; mais je voudrais bien que vous me pussiez dire d'où cela vient.

SGANARELLE. – Il n'est rien plus aisé : cela vient de ce qu'elle a
685 perdu la parole.

GÉRONTE. – Fort bien ; mais la cause, s'il vous plaît, qui fait qu'elle a perdu la parole ?

SGANARELLE. – Tous nos meilleurs auteurs vous diront que c'est l'empêchement de l'action de sa langue.

690 GÉRONTE. – Mais encore, vos sentiments sur cet empêchement de l'action de sa langue ?

SGANARELLE. – Aristote, là-dessus, dit... de fort belles choses.

GÉRONTE. – Je le crois.

SGANARELLE. – Ah ! c'était un grand homme !

695 GÉRONTE. – Sans doute.

SGANARELLE, *levant son bras depuis le coude.* – Grand homme tout à fait : un homme qui était plus grand que moi de tout cela●. Pour revenir donc à notre raisonnement, je tiens que cet empêchement de l'action de sa langue est causé par de certaines
700 humeurs, qu'entre nous autres savants nous appelons humeurs peccantes[2] ; peccantes, c'est-à-dire... humeurs peccantes ; d'autant que les vapeurs formées par les exhalaisons des influences qui s'élèvent dans la région des maladies, venant... pour ainsi dire... à... Entendez-vous[3] le latin ?

1. **D'abord** : tout de suite.
2. **Humeurs peccantes** : substances malfaisantes contenues dans le corps (voir « L'enquête » sur la médecine des humeurs, p. 87).
3. **Entendez-vous** : comprenez-vous.

● **Sganarelle joue sur les deux sens de l'adjectif « grand » : le sens propre (la taille) et le sens figuré (la renommée).**

705 GÉRONTE. – En aucune façon.

SGANARELLE, *se levant avec étonnement.* – Vous n'entendez point le latin !

GÉRONTE. – Non.

SGANARELLE, *en faisant diverses plaisantes postures.* – *Cabricias*
710 *arci thuram, catalamus, singulariter, nominativo haec Musa,* « la Muse », *bonus, bona, bonum, Deus sanctus, estne oratio latinas ? Etiam,* « *oui* ». *Quare,* « pourquoi » ? *Quia substantivo et adjectivum concordat in generi, numerum, et casus*[1].

GÉRONTE. – Ah ! que n'ai-je étudié ?

715 JACQUELINE. – L'habile homme que velà !

LUCAS. – Oui, ça est si biau, que je n'y entends goutte.

SGANARELLE. – Or ces vapeurs● dont je vous parle venant à passer du côté gauche, où est le foie, au côté droit, où est le cœur, il se trouve que le poumon, que nous appelons en latin *armyan,*
720 ayant communication avec le cerveau, que nous nommons en grec *nasmus,* par le moyen de la veine cave, que nous appelons en hébreu *cubile,* rencontre en son chemin lesdites vapeurs, qui remplissent les ventricules de l'omoplate ; et parce que lesdites vapeurs... comprenez bien ce raisonnement, je vous
725 prie ; et parce que lesdites vapeurs ont une certaine malignité... Écoutez bien ceci, je vous conjure.

GÉRONTE. – Oui.

SGANARELLE. – Ont une certaine malignité, qui est causée... Soyez attentif, s'il vous plaît.

730 GÉRONTE. – Je le suis.

1. Après quatre mots de son invention, Sganarelle cite des bribes de prières et de grammaire latine qu'il a dû apprendre par cœur dans sa jeunesse.

● **Ces explications sont fantaisistes. Mais Sganarelle joue de l'autorité du médecin et de l'ignorance de son auditoire.**

SGANARELLE. – Qui est causée par l'âcreté des humeurs engendrées dans la concavité du diaphragme, il arrive que ces vapeurs... *Ossabandus, nequeys, nequer, potarinum, quipsa milus*[1]. Voilà justement ce qui fait que votre fille est muette.

735 JACQUELINE. – Ah ! que ça est bian dit, notte homme !

LUCAS. – Que n'ai-je la langue aussi bian pendue !

GÉRONTE. – On ne peut pas mieux raisonner, sans doute. Il n'y a qu'une seule chose qui m'a choqué : c'est l'endroit du foie et du cœur. Il me semble que vous les placez autrement qu'ils ne

740 sont ; que le cœur est du côté gauche, et le foie du côté droit.

SGANARELLE. – Oui, cela était autrefois ainsi ; mais nous avons changé tout cela, et nous faisons maintenant la médecine d'une méthode toute nouvelle.

GÉRONTE. – C'est ce que je ne savais pas, et je vous demande par-

745 don de mon ignorance.

SGANARELLE. – Il n'y a point de mal, et vous n'êtes pas obligé d'être aussi habile que nous.

GÉRONTE. – Assurément. Mais, Monsieur, que croyez-vous qu'il faille faire à cette maladie ?

750 SGANARELLE. – Ce que je crois qu'il faille faire ?

GÉRONTE. – Oui.

SGANARELLE. – Mon avis est qu'on la remette sur son lit, et qu'on lui fasse prendre pour remède quantité de pain trempé dans du vin.

GÉRONTE. – Pourquoi cela, Monsieur ?

755 SGANARELLE. – Parce qu'il y a dans le vin et le pain, mêlés ensemble, une vertu sympathique qui fait parler●. Ne voyez-vous pas bien qu'on ne donne autre chose aux perroquets, et qu'ils apprennent à parler en mangeant de cela ?

1. Encore du faux latin pour épater la galerie... et faire rire le public.

● **L'excès de vin rend tout simplement ivre.**

GÉRONTE. – Cela est vrai. Ah ! le grand homme ! Vite, quantité de
760 pain et de vin !

SGANARELLE. – Je reviendrai voir, sur le soir, en quel état elle sera. *(À la Nourrice.)* Doucement, vous. Monsieur, voilà une nourrice à laquelle il faut que je fasse quelques petits remèdes.

JACQUELINE. – Qui ? moi ? Je me porte le mieux du monde.

765 SGANARELLE. – Tant pis, Nourrice, tant pis. Cette grande santé est à craindre, et il ne sera pas mauvais de vous faire quelque petite saignée amiable, de vous donner quelque petit clystère dulcifiant[1].

GÉRONTE. – Mais, Monsieur, voilà une mode que je ne com-
770 prends point. Pourquoi s'aller faire saigner quand on n'a point de maladie ?

SGANARELLE. – Il n'importe, la mode en est salutaire ; et comme on boit pour la soif à venir, il faut se faire aussi saigner pour la maladie à venir[2].

775 JACQUELINE, *en se retirant.* – Ma fi ! je me moque de ça, et je ne veux point faire de mon corps une boutique d'apothicaire[3].

SGANARELLE. – Vous êtes rétive aux remèdes ; mais nous saurons vous soumettre à la raison. *(Parlant à Géronte.)* Je vous donne le bonjour.

780 GÉRONTE. – Attendez un peu, s'il vous plaît.

SGANARELLE. – Que voulez-vous faire ?

GÉRONTE. – Vous donner de l'argent, Monsieur.

SGANARELLE, *tendant sa main derrière, par dessous sa robe, tandis que Géronte ouvre sa bourse.* – Je n'en prendrai pas, Monsieur●.

785 GÉRONTE. – Monsieur...

1. **Clystère dulcifiant** : lavement adoucissant.
2. **La maladie à venir** : à l'époque on pratiquait couramment des remèdes de « précaution », comme se purger et se faire saigner avant un voyage.
3. **Apothicaire** : pharmacien.

● **Les gestes et les paroles se contredisent. C'est un ressort comique fréquent chez Molière.**

SGANARELLE. – Point du tout.
GÉRONTE. – Un petit moment.
SGANARELLE. – En aucune façon.
GÉRONTE. – De grâce !
790 SGANARELLE. – Vous vous moquez.
GÉRONTE. – Voilà qui est fait.
SGANARELLE. – Je n'en ferai rien.
GÉRONTE. – Eh !
SGANARELLE. – Ce n'est pas l'argent qui me fait agir.
795 GÉRONTE. – Je le crois.
SGANARELLE, *après avoir pris l'argent.* – Cela est-il de poids ?
GÉRONTE. – Oui, Monsieur.
SGANARELLE. – Je ne suis pas un médecin mercenaire[1].
GÉRONTE. – Je le sais bien.
800 SGANARELLE. – L'intérêt ne me gouverne point.
GÉRONTE. – Je n'ai pas cette pensée.

SCÈNE 5 – SGANARELLE, LÉANDRE

SGANARELLE, *regardant son argent.* – Ma foi ! cela ne va pas mal ; et pourvu que…

LÉANDRE. – Monsieur, il y a longtemps que je vous attends, et je
805 viens implorer votre assistance.

SGANARELLE, *lui prenant le poignet.* – Voilà un pouls qui est fort mauvais.

LÉANDRE. – Je ne suis point malade, Monsieur, et ce n'est pas pour cela que je viens à vous.

810 SGANARELLE. – Si vous n'êtes pas malade, que diable ne le dites-vous donc ?

1. **Mercenaire** : intéressé, qui vend ses services à autrui. Désigne un soldat qui sert un pays étranger en échange d'un salaire.

LÉANDRE. – Non : pour vous dire la chose en deux mots, je m'appelle Léandre, qui suis amoureux de Lucinde, que vous venez de visiter ; et comme, par la mauvaise humeur de son père, toute
815 sorte d'accès m'est fermé auprès d'elle[1], je me hasarde à vous prier de vouloir servir mon amour, et de me donner lieu d'exécuter un stratagème[2] que j'ai trouvé, pour lui pouvoir dire deux mots, d'où dépendent absolument mon bonheur et ma vie.

SGANARELLE, *paraissant en colère.* – Pour qui me prenez-vous ?
820 Comment oser vous adresser à moi pour vous servir dans votre amour, et vouloir ravaler la dignité de médecin à des emplois de cette nature ?

LÉANDRE. – Monsieur, ne faites point de bruit[3].

SGANARELLE, *en le faisant reculer.* – J'en veux faire, moi. Vous êtes
825 un impertinent.

LÉANDRE. – Eh ! Monsieur, doucement.

SGANARELLE. – Un malavisé[4].

LÉANDRE. – De grâce !

SGANARELLE. – Je vous apprendrai que je ne suis point homme à
830 cela, et que c'est une insolence extrême...

LÉANDRE, *tirant une bourse qu'il lui donne.* – Monsieur.

SGANARELLE, *tenant la bourse.* – De vouloir m'employer... Je ne parle pas pour vous, car vous êtes honnête homme, et je serais ravi de vous rendre service ; mais il y a de certains impertinents
835 au monde qui viennent prendre les gens pour ce qu'ils ne sont pas ; et je vous avoue que cela me met en colère.

LÉANDRE. – Je vous demande pardon, Monsieur, de la liberté que...

SGANARELLE. – Vous vous moquez. De quoi est-il question ?

1. **Toute sorte d'accès m'est fermé auprès d'elle** : on m'interdit de la voir.
2. **Stratagème** : ruse.
3. **Bruit** : scandale.
4. **Malavisé** : étourdi.

840 LÉANDRE. – Vous saurez donc, Monsieur, que cette maladie que vous voulez guérir est une feinte maladie[1]. Les médecins ont raisonné là-dessus comme il faut ; et ils n'ont pas manqué de dire que cela procédait, qui du cerveau, qui des entrailles, qui de la rate, qui du foie ; mais il est certain que l'amour en est
845 la véritable cause, et que Lucinde n'a trouvé cette maladie que pour se délivrer d'un mariage dont elle était importunée. Mais, de crainte qu'on ne nous voie ensemble, retirons-nous d'ici, et je vous dirai en marchant ce que je souhaite de vous.

SGANARELLE. – Allons, Monsieur : vous m'avez donné pour votre
850 amour une tendresse qui n'est pas concevable ; et j'y perdrai toute ma médecine, ou la malade crèvera, ou bien elle sera à vous.

1. **Une feinte maladie** : une fausse maladie.

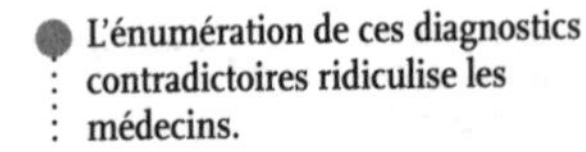

L'énumération de ces diagnostics contradictoires ridiculise les médecins.

Acte III

SCÈNE 1 – SGANARELLE, LÉANDRE

LÉANDRE. – Il me semble que je ne suis pas mal ainsi pour un apothicaire ; et comme le père ne m'a guère vu, ce change-
855 ment d'habit et de perruque est assez capable, je crois, de me déguiser à ses yeux.

SGANARELLE. – Sans doute.

LÉANDRE. – Tout ce que je souhaiterais serait de savoir cinq ou six grands mots de médecine, pour parer mon discours et me
860 donner l'air d'habile homme.

SGANARELLE. – Allez, allez, tout cela n'est pas nécessaire : il suffit de l'habit, et je n'en sais pas plus que vous.

LÉANDRE. – Comment ?

SGANARELLE. – Diable emporte si j'entends rien en médecine !
865 Vous êtes honnête homme[1], et je veux bien me confier à vous, comme vous vous confiez à moi.

LÉANDRE. – Quoi ? vous n'êtes pas effectivement...

SGANARELLE. – Non, vous dis-je : ils m'ont fait médecin malgré mes dents[2]. Je ne m'étais jamais mêlé d'être si savant que cela ;
870 et toutes mes études n'ont été que jusqu'en sixième. Je ne sais point sur quoi cette imagination leur est venue ; mais quand j'ai vu qu'à toute force ils voulaient que je fusse médecin, je me suis résolu de l'être, aux dépens de qui il appartiendra[3]. Cependant vous ne sauriez croire comment l'erreur s'est répandue, et de
875 quelle façon chacun est endiablé à me croire habile homme.

1. **Honnête homme** : poli, discret. Au XVIIe siècle, homme qui sait se comporter dans le monde.
2. **Malgré mes dents** : malgré ma résistance.
3. **Aux dépens de qui il appartiendra** : aux frais de qui le voudra.

L'acte III commence avec le « stratagème » du déguisement cité à la fin de l'acte II. Il y a une ellipse entre les 2 actes.

On me vient chercher de tous côtés ; et si les choses vont toujours de même, je suis d'avis de m'en tenir, toute ma vie, à la médecine. Je trouve que c'est le métier le meilleur de tous ; car, soit qu'on fasse bien ou soit qu'on fasse mal, on est toujours payé de
880 même sorte : la méchante besogne ne retombe jamais sur notre dos ; et nous taillons, comme il nous plaît, sur l'étoffe où nous travaillons. Un cordonnier, en faisant des souliers, ne saurait gâter un morceau de cuir qu'il n'en paye les pots cassés[1] ; mais ici l'on peut gâter[2] un homme sans qu'il en coûte rien. Les bévues
885 ne sont point pour nous[3] ; et c'est toujours la faute de celui qui meurt. Enfin le bon de cette profession est qu'il y a parmi les morts une honnêteté, une discrétion la plus grande du monde ; jamais on n'en voit se plaindre du médecin qui l'a tué●.

LÉANDRE. – Il est vrai que les morts sont fort honnêtes gens sur
890 cette matière.

SGANARELLE, *voyant des hommes qui viennent vers lui.* – Voilà des gens qui ont la mine de me venir consulter. Allez toujours m'attendre auprès du logis de votre maîtresse.

SCÈNE 2 – THIBAUT, PERRIN, SGANARELLE

THIBAUT. – Monsieu, je venons vous charcher, mon fils Perrin et
895 moi.

SGANARELLE. – Qu'y a-t-il ?

THIBAUT. – Sa pauvre mère, qui a nom Parette, est dans un lit, malade, il y a six mois[4].

SGANARELLE, *tendant la main, comme pour recevoir de l'argent.* –
900 Que voulez-vous que j'y fasse ?

1. **Les pots cassés** : les erreurs, les malfaçons.
2. **Gâter** : rendre malade, tuer.
3. **Les bévues...** : les erreurs ne nous sont pas attribuées.
4. **Il y a six mois** : depuis six mois.

● **Tout ce passage est une satire des médecins présentés comme de faux savants, intéressés, irresponsables et ignorants.**

THIBAUT. – Je voudrions, Monsieu, que vous nous baillissiez[1] quelque petite drôlerie[2] pour la garir.

SGANARELLE. – Il faut voir de quoi est-ce qu'elle est malade.

THIBAUT. – Alle est malade d'hypocrisie[3], Monsieu.

905 SGANARELLE. – D'hypocrisie ?

THIBAUT. – Oui, c'est-à-dire qu'alle est enflée par tout ; et l'an dit que c'est quantité de sériosités[4] qu'alle a dans le corps, et que son foie, son ventre, ou sa rate, comme vous voudrais l'appeler, au glieu de faire du sang, ne fait plus que de l'iau. Alle a, de deux jours l'un, 910 la fièvre quotiguenne, avec des lassitules et des douleurs dans les mufles des jambes. On entend dans sa gorge des fleumes[5] qui sont tout prêts à l'étouffer ; et parfois il lui prend des syncoles et des conversions, que je crayons qu'alle est passée. J'avons dans notte village un apothicaire, révérence parler, qui li a donné je ne 915 sai combien d'histoires ; et il m'en coûte plus d'eune douzaine de bons écus en lavements, ne v's en déplaise, en apostumes[6] qu'on li a fait prendre, en infections de jacinthe, et en portions cordales. Mais tout ça, comme dit l'autre, n'a été que de l'onguent miton mitaine[7]. Il velait li bailler d'eune certaine drogue que l'on appelle 920 du vin amétile[8] ; mais j'ai-s-eu peur, franchement, que ça l'envoyît à *patres*[9] ; et l'an dit que ces gros médecins tuont je ne sai combien de monde avec cette invention-là.

SGANARELLE, *tendant toujours la main et la branlant, comme pour signe qu'il demande de l'argent.* – Venons au fait, mon ami, ve- 925 nons au fait.

1. **Baillissiez** : du verbe bailler (ancien), donner, que vous nous donniez.
2. **Drôlerie** : curiosité, remède.
3. **Hypocrisie** : ici, déformation d'hydropisie (ballonnement dû à la rétention d'eau).
4. **Sériosités** : sérosités.
5. **Fleumes** : matières gluantes que le malade a du mal à sécréter.
6. **Apostume** : apozème, infusion médicinale.
7. **Onguent miton mitaine** : pommade sans effet.
8. **Vin amétile** : vin émétique, purgatif à la mode à l'époque (voir « L'enquête », p. 91).
9. ***À patres*** : *ad patres*, au père (éternel), que cela la tue.

THIBAUT. – Le fait est, Monsieu, que je venons vous prier de nous dire ce qu'il faut que je fassions.

SGANARELLE. – Je ne vous entends point du tout.

PERRIN. — Monsieu, ma mère est malade ; et velà deux écus que
930 je vous apportons pour nous bailler[1] queuque remède.

SGANARELLE. – Ah ! je vous entends, vous. Voilà un garçon qui parle clairement, qui s'explique comme il faut. Vous dites que votre mère est malade d'hydropisie, qu'elle est enflée par tout le corps, qu'elle a la fièvre, avec des douleurs dans les jambes,
935 et qu'il lui prend parfois des syncopes et des convulsions, c'est-à-dire des évanouissements ?

PERRIN. – Eh ! oui, Monsieu, c'est justement ça.

SGANARELLE. – J'ai compris d'abord[2] vos paroles. Vous avez un père qui ne sait ce qu'il dit. Maintenant vous me demandez un
940 remède ?

PERRIN. – Oui, Monsieu.

SGANARELLE. – Un remède pour la guérir ?

PERRIN. – C'est comme je l'entendons.

SGANARELLE. – Tenez, voilà un morceau de formage[3] qu'il faut
945 que vous lui fassiez prendre.

PERRIN. – Du fromage, Monsieu ?

SGANARELLE. – Oui, c'est un formage préparé où il entre de l'or, du corail, et des perles, et quantité d'autres choses précieuses[4].

950 PERRIN. – Monsieu, je vous sommes bien obligés ; et j'allons li faire prendre ça tout à l'heure[5].

SGANARELLE. – Allez. Si elle meurt, ne manquez pas de la faire enterrer du mieux que vous pourrez.

1. **Bailler** : donner.
2. **D'abord** : immédiatement.
3. **Formage** : fromage.
4. **Choses précieuses** : sur la croyance dans la vertu curative des matières précieuses (voir « L'enquête » p. 92).
5. **Tout à l'heure** : au plus vite.

SCÈNE 3 – JACQUELINE, SGANARELLE, LUCAS

SGANARELLE. – Voici la belle Nourrice. Ah ! Nourrice de mon
955 cœur, je suis ravi de cette rencontre, et votre vue est la rhubarbe, la casse, et le séné qui purgent toute la mélancolie de mon âme.

JACQUELINE. – Par ma figué ! Monsieu le Médecin, ça est trop bian dit pour moi, et je n'entends rien à tout votte latin.

960 SGANARELLE. – Devenez malade, Nourrice, je vous prie ; devenez malade, pour l'amour de moi : j'aurais toutes les joies du monde de vous guérir.

JACQUELINE. – Je sis votte sarvante : j'aime bian mieux qu'an ne me guérisse pas.

965 SGANARELLE. – Que je vous plains, belle Nourrice, d'avoir un mari jaloux et fâcheux comme celui que vous avez !

JACQUELINE. – Que velez-vous, Monsieu ? C'est pour la pénitence de mes fautes ; et là où la chèvre est liée, il faut bian qu'alle y broute.

970 SGANARELLE. – Comment ? un rustre comme cela ! un homme qui vous observe toujours, et ne veut pas que personne vous parle !

JACQUELINE. – Hélas ! vous n'avez rien vu encore, et ce n'est qu'un petit échantillon de sa mauvaise humeur.

975 SGANARELLE. – Est-il possible ? et qu'un homme ait l'âme assez basse pour maltraiter une personne comme vous ? Ah ! que j'en sais, belle Nourrice, et qui ne sont pas loin d'ici, qui se tiendraient heureux de baiser seulement les petits bouts de vos petons ! Pourquoi faut-il qu'une personne si bien faite soit
980 tombée en de telles mains, et qu'un franc animal, un brutal, un

stupide, un sot... ? Pardonnez-moi, Nourrice, si je parle ainsi de votre mari.

JACQUELINE. – Eh ! Monsieu, je sai bien qu'il mérite tous ces noms-là.

SGANARELLE. – Oui, sans doute, Nourrice, il les mérite ; et il mé-
985 riterait encore que vous lui missiez quelque chose sur la tête[1], pour le punir des soupçons qu'il a.

JACQUELINE. – Il est bien vrai que si je n'avais devant les yeux que son intérêt, il pourrait m'obliger à queuque étrange chose.

SGANARELLE. – Ma foi ! vous ne feriez pas mal de vous venger de
990 lui avec quelqu'un. C'est un homme, je vous le dis, qui mérite bien cela ; et si j'étais assez heureux, belle Nourrice, pour être choisi pour... *(En cet endroit, tous deux apercevant Lucas qui était derrière eux et entendait leur dialogue, chacun se retire de son côté, mais le Médecin d'une manière fort plaisante.)*

SCÈNE 4 – GÉRONTE, LUCAS

995 GÉRONTE. – Holà ! Lucas, n'as-tu point vu ici, notre médecin ?

LUCAS. – Et oui, de par tous les diantres[2], je l'ai vu, et ma femme aussi.

GÉRONTE. – Où est-ce donc, qu'il peut être ?

LUCAS. – Je ne sai ; mais je voudrais qu'il fût à tous les guebles[3].

1000 GÉRONTE. – Va-t'en voir un peu ce que fait ma fille.

SCÈNE 5 – SGANARELLE, LÉANDRE, GÉRONTE

GÉRONTE. – Ah ! Monsieur, je demandais où vous étiez.

SGANARELLE. – Je m'étais amusé dans votre cour à expulser le superflu de la boisson. Comment se porte la malade ?

1. **Quelque chose sur la tête** : des cornes, symbole des cocus.
2. **Diantres** : déformation de diables.
3. **Guebles** : diables.

GÉRONTE. – Un peu plus mal depuis votre remède.

1005 SGANARELLE. – Tant mieux : c'est signe qu'il opère.

GÉRONTE. – Oui ; mais, en opérant, je crains qu'il ne l'étouffe.

SGANARELLE. – Ne vous mettez pas en peine ; j'ai des remèdes qui se moquent de tout, et je l'attends à l'agonie.

GÉRONTE, *montrant Léandre.* – Qui est cet homme-là, que vous
1010 amenez ?

SGANARELLE, *faisant des signes avec la main que c'est un apothicaire.* – C'est...

GÉRONTE. – Quoi ?

SGANARELLE. – Celui...

1015 GÉRONTE. – Eh ?

SGANARELLE. – Qui...

GÉRONTE. – Je vous entends.

SGANARELLE. – Votre fille en aura besoin.

SCÈNE 6 – JACQUELINE, LUCINDE, GÉRONTE, LÉANDRE, SGANARELLE

JACQUELINE. – Monsieu, velà votre fille qui veut un peu marcher.

1020 SGANARELLE. – Cela lui fera du bien. Allez-vous-en, Monsieur l'Apothicaire, tâter un peu son pouls, afin que je raisonne tantôt avec vous de sa maladie. *(En cet endroit, il tire Géronte à un bout du théâtre, et, lui passant un bras sur les épaules, lui rabat la main sous le menton, avec laquelle il le fait retourner vers lui, lorsqu'il*
1025 *veut regarder ce que sa fille et l'apothicaire font ensemble, lui tenant cependant, le discours suivant pour l'amuser*[1] *:)* Monsieur, c'est une grande et subtile question entre les doctes[2], de savoir si les femmes sont plus faciles à guérir que les hommes. Je vous

1. **L'amuser** : le distraire, détourner son attention. 2. **Les doctes** : les savants.

prie d'écouter ceci, s'il vous plaît. Les uns disent que non, les
1030 autres disent que oui ; et moi je dis que oui et non : d'autant que l'incongruité des humeurs opaques qui se rencontrent au tempérament naturel des femmes étant cause que la partie brutale veut toujours prendre empire sur la sensitive, on voit que l'inégalité de leurs opinions dépend du mouvement oblique du
1035 cercle de la lune ; et comme le soleil, qui darde ses rayons sur la concavité de la terre, trouve...

LUCINDE. – Non, je ne suis point du tout capable de changer de sentiments.

GÉRONTE. – Voilà ma fille qui parle ! Ô grande vertu du remède !
1040 Ô admirable médecin ! Que je vous suis obligé, Monsieur, de cette guérison merveilleuse ! et que puis-je faire pour vous après un tel service ?

SGANARELLE, *se promenant sur le théâtre, et s'essuyant le front.* – Voilà une maladie qui m'a bien donné de la peine !

1045 LUCINDE. – Oui, mon père, j'ai recouvré la parole ; mais je l'ai recouvrée pour vous dire que je n'aurai jamais d'autre époux que Léandre, et que c'est inutilement que vous voulez me donner Horace.

GÉRONTE. – Mais...

1050 LUCINDE. – Rien n'est capable d'ébranler la résolution que j'ai prise.

GÉRONTE. – Quoi... ?

LUCINDE. – Vous m'opposerez en vain de belles raisons.

GÉRONTE. – Si...

1055 LUCINDE. – Tous vos discours ne serviront de rien.

GÉRONTE. – Je...

LUCINDE. – C'est une chose où je suis déterminée.

GÉRONTE. – Mais...

LUCINDE. – Il n'est puissance paternelle qui me puisse obliger à
1060 me marier malgré moi.

GÉRONTE. – J'ai...

LUCINDE. – Vous avez beau faire tous vos efforts.

GÉRONTE. – Il...

LUCINDE. – Mon cœur ne saurait se soumettre à cette tyrannie.

1065 GÉRONTE. – La...

LUCINDE. – Et je me jetterai plutôt dans un couvent que d'épouser un homme que je n'aime point.

GÉRONTE. – Mais...

LUCINDE, *parlant d'un ton de voix à étourdir.* – Non. En aucune
1070 façon. Point d'affaire. Vous perdez le temps. Je n'en ferai rien. Cela est résolu.

GÉRONTE. – Ah ! quelle impétuosité de paroles ! Il n'y a pas moyen d'y résister. Monsieur, je vous prie de la faire redevenir muette.

1075 SGANARELLE. – C'est une chose qui m'est impossible. Tout ce que je puis faire pour votre service est de vous rendre sourd, si vous voulez.

GÉRONTE. – Je vous remercie. Penses-tu donc...

LUCINDE. – Non. Toutes vos raisons ne gagneront rien sur mon âme.

1080 GÉRONTE. – Tu épouseras Horace, dès ce soir.

LUCINDE. – J'épouserai plutôt la mort.

SGANARELLE. – Mon Dieu ! arrêtez-vous, laissez-moi médicamenter cette affaire. C'est une maladie qui la tient, et je sais le remède qu'il y faut apporter.

1085 GÉRONTE. – Serait-il possible, Monsieur, que vous pussiez aussi guérir cette maladie d'esprit ?

SGANARELLE. – Oui : laissez-moi faire, j'ai des remèdes pour tout, et notre Apothicaire nous servira pour cette cure. *(Il appelle l'Apothicaire et lui parle.)* Un mot. Vous voyez que l'ardeur qu'elle a
1090 pour ce Léandre est tout à fait contraire aux volontés du père, qu'il n'y a point de temps à perdre, que les humeurs sont fort aigries, et qu'il est nécessaire de trouver promptement un remède à ce mal, qui pourrait empirer par le retardement. Pour moi, je n'y en vois qu'un seul, qui est une prise de fuite purga-
1095 tive, que vous mêlerez comme il faut avec deux drachmes[1] de *matrimonium* en pilules. Peut-être fera-t-elle quelque difficulté à prendre ce remède ; mais, comme vous êtes habile homme dans votre métier, c'est à vous de l'y résoudre, et de lui faire avaler la chose du mieux que vous pourrez. Allez-vous-en lui
1100 faire faire un petit tour de jardin, afin de préparer les humeurs, tandis que j'entretiendrai ici son père ; mais surtout ne perdez point de temps : au remède vite, au remède spécifique !

SCÈNE 7 – GÉRONTE, SGANARELLE

GÉRONTE. – Quelles drogues, Monsieur, sont celles que vous venez de dire ? Il me semble que je ne les ai jamais ouï nommer.
1105 SGANARELLE. – Ce sont drogues dont on se sert dans les nécessités urgentes.

GÉRONTE. – Avez-vous jamais vu une insolence pareille à la sienne ?

SGANARELLE. – Les filles sont quelquefois un peu têtues.

GÉRONTE. – Vous ne sauriez croire comme elle est affolée de ce
1110 Léandre.

SGANARELLE. – La chaleur du sang fait cela dans les jeunes esprits.

1. **Drachme** : petite unité de mesure (un huitième d'once).

GÉRONTE. – Pour moi, dès que j'ai eu découvert la violence de cet amour, j'ai su tenir toujours ma fille renfermée.

1115 SGANARELLE. – Vous avez fait sagement.

GÉRONTE. – Et j'ai bien empêché qu'ils n'aient eu communication ensemble.

SGANARELLE. – Fort bien.

GÉRONTE. – Il serait arrivé quelque folie, si j'avais souffert qu'ils
1120 se fussent vus.

SGANARELLE. – Sans doute.

GÉRONTE. – Et je crois qu'elle aurait été fille à s'en aller avec lui.

SGANARELLE. – C'est prudemment raisonné.

GÉRONTE. – On m'avertit qu'il fait tous ses efforts pour lui parler.

1025 SGANARELLE. – Quel drôle !

GÉRONTE. – Mais il perdra son temps.

SGANARELLE. – Ah ! ah !

GÉRONTE. – Et j'empêcherai bien qu'il ne la voie.

SGANARELLE. – Il n'a pas affaire à un sot, et vous savez des rubri-
1130 ques[1] qu'il ne sait pas. Plus fin que vous n'est pas bête●.

SCÈNE 8 – LUCAS, GÉRONTE, SGANARELLE

LUCAS. – Ah ! palsanguenne, Monsieu, vaici bian du tintamarre : votre fille s'en est enfuie avec son Liandre. C'était lui qui était l'Apothicaire ; et velà Monsieu le Médecin qui a fait cette belle opération-là.

1135 GÉRONTE. – Comment ? m'assassiner de la façon ! Allons, un commissaire ! Et qu'on empêche qu'il ne sorte. Ah, traître ! je vous ferai punir par la justice.

1. **Vous savez des rubriques** : vous ne vous en laissez pas compter ; vous vous y entendez en affaires.

● **Phrase comique car Géronte est précisément en train de se faire berner.**

LUCAS. – Ah ! par ma fi ! Monsieu le Médecin, vous serez pendu : ne bougez de là seulement.

SCÈNE 9 – MARTINE, SGANARELLE, LUCAS

1140 MARTINE. – Ah ! mon Dieu ! que j'ai eu de peine à trouver ce logis ! Dites-moi un peu des nouvelles du médecin que je vous ai donné.

LUCAS. – Le velà, qui va être pendu.

MARTINE. – Quoi ? mon mari pendu ! Hélas ! et qu'a-t-il fait pour
1145 cela ?

LUCAS. – Il a fait enlever la fille de notte maître.

MARTINE. – Hélas ! mon cher mari, est-il bien vrai qu'on te va pendre ?

SGANARELLE. – Tu vois. Ah !

MARTINE. – Faut-il que tu te laisses mourir en présence de tant
1150 de gens ?

SGANARELLE. – Que veux-tu que j'y fasse ?

MARTINE. – Encore si tu avais achevé de couper notre bois, je prendrais quelque consolation.

SGANARELLE. – Retire-toi de là, tu me fends le cœur.

1155 MARTINE. – Non, je veux demeurer pour t'encourager à la mort, et je ne te quitterai point que je ne t'aie vu pendu.

SGANARELLE. – Ah !

SCÈNE 10 – GÉRONTE, SGANARELLE, MARTINE, LUCAS

GÉRONTE. – Le commissaire viendra bientôt, et l'on s'en va vous mettre en lieu où l'on me répondra de vous.

1160 SGANARELLE, *le chapeau à la main*. – Hélas ! cela ne se peut-il point changer en quelques coups de bâton ?

GÉRONTE. – Non, non : la justice en ordonnera… Mais que vois-je ?

SCÈNE 11 et dernière – LÉANDRE, LUCINDE, JACQUELINE, LUCAS, GÉRONTE, SGANARELLE, MARTINE●

LÉANDRE. – Monsieur, je viens faire paraître Léandre à vos yeux, et remettre Lucinde en votre pouvoir. Nous avons eu dessein[1] de
1165 prendre la fuite nous deux, et de nous aller marier ensemble ; mais cette entreprise a fait place à un procédé plus honnête. Je ne prétends point vous voler votre fille, et ce n'est que de votre main que je veux la recevoir. Ce que je vous dirai, Monsieur, c'est que je viens tout à l'heure[2] de recevoir des lettres par où
1170 j'apprends que mon oncle est mort, et que je suis héritier de tous ses biens.

GÉRONTE. – Monsieur, votre vertu m'est tout à fait considérable, et je vous donne ma fille avec la plus grande joie du monde.

SGANARELLE. – La médecine l'a échappé belle !

1175 MARTINE. – Puisque tu ne seras point pendu, rends-moi grâce d'être médecin ; car c'est moi qui t'ai procuré cet honneur.

SGANARELLE. – Oui, c'est toi qui m'as procuré je ne sais combien de coups de bâton.

LÉANDRE. – L'effet en est trop beau pour en garder du ressenti-
1180 ment.

SGANARELLE. – Soit : je te pardonne ces coups de bâton en faveur de la dignité où tu m'as élevé ; mais prépare-toi désormais à vivre dans un grand respect avec un homme de ma consé-quence, et songe que la colère d'un médecin est plus à craindre
1185 qu'on ne peut croire.

Molière, *Le Médecin malgré lui*, 1666.

1. **Dessein** : projet.
2. **Tout à l'heure** : à l'instant.

● **Tous les personnages sont réunis pour une fin heureuse : cette situation correspond au final traditionnel de comédie, attendu par les spectateurs.**

Le Médecin malgré lui

Une comédie-farce sur la médecine

REPÈRES

PARCOURS DE L'ŒUVRE

TEXTES ET IMAGES

Qu'est-ce qu'une comédie ?

À l'époque de Molière, comédie et tragédie sont des genres séparés et hiérarchisés. À l'origine, c'est le philosophe grec Aristote qui distingue d'un côté un genre sérieux et noble, la tragédie, de l'autre un genre comique et bas, la comédie. Mais Molière, grand génie comique, redonne ses lettres de noblesse à la comédie, en y introduisant des éléments de peinture et de critique sociale.

• LES ORIGINES DE LA COMÉDIE

La farce et la *Commedia dell'arte* sont à l'origine de la comédie qui va en enrichir les règles, les personnages et les situations.

• UN MILIEU PRÉCIS

L'intrigue est le plus souvent située dans un milieu bourgeois et non noble, à l'image de la famille de Géronte. On y rencontre donc des pères de famille, leurs épouses, leurs enfants et leurs valets.

• UNE ACTION : LE MARIAGE

L'intrigue tourne souvent autour d'un projet de mariage : le père s'oppose au souhait de sa fille ou de son fils car il a formé pour eux d'autres projets de mariage. Ainsi de Lucinde, que son père veut marier avec un jeune homme plus riche que celui qu'elle aime.

• DES PÉRIPÉTIES MULTIPLES

Les valets (Sganarelle, Jacqueline) se mêlent de ce projet de mariage, généralement pour contrarier les projets des parents (ici Géronte) et favoriser ceux des jeunes amoureux (ici, Lucinde et Léandre opposés à Géronte). Les stratagèmes et les ruses qu'ils mettent en place à cette fin constituent autant de renversements amusants (Léandre se déguisant en pharmacien, par exemple).

● BIENSÉANCE ET VRAISEMBLANCE

Dans la comédie, contrairement à la tragédie, on peut parler d'argent, du corps, du désir, mais en respectant la bienséance. Ainsi, les valets peuvent se livrer à des attouchements comiques (comme le font Sganarelle et Jacqueline), mais pas les maîtres : l'amour de Lucinde et Léandre est moins expressif et les jeunes gens ne sont jamais seuls sur scène.
L'action doit aussi être vraisemblable ; on reproche parfois à Molière ses coups de théâtre (l'héritage providentiel de Léandre) souvent incroyables.

● UNE FIN HEUREUSE

Le dénouement est heureux : malgré leurs pères, les amants finissent par se marier. Et la comédie se termine par un final où tous les personnages se retrouvent sur scène et se réconcilient.

● LA DESCRIPTION DE LA SOCIÉTÉ

D'abord genre léger, composé de pièces écrites en trois actes et en prose, la comédie devient avec Molière un genre ouvert aux questions qui préoccupent la société : le mariage, la médecine, les relations entre la noblesse et la bourgeoisie... C'est ce qu'on appellera la « grande comédie » que Molière inaugure avec *L'École des femmes*, pièce écrite comme une tragédie, en cinq actes et en vers, qui traite de la question du mariage et de l'éducation des filles.

● LA SATIRE

La formule du poète latin Horace « *castigat ridendo mores* » (« elle châtie les mœurs en riant ») résume bien la satire. En effet, ce genre, hérité des Grecs et des Latins, consiste à critiquer un travers de la société en faisant rire le public à ses dépens. Dans *Le Médecin malgré lui*, Molière fait ainsi la satire des médecins dont il présente une plaisante caricature avec son Sganarelle.

« Le vrai portrait de Molière en habit de Sganarelle » gravure (17e siècle), Paris, BNF..

Qu'est-ce qu'une farce ?

Les farces remontent au Moyen Âge (XIe siècle) mais on en écrit jusqu'au XVIIIe siècle. Ce sont initialement de courtes pièces jouées lors des foires ou des grands marchés, pour faire rire un public populaire de paysans et de villageois.

• UNE ACTION SIMPLE

La farce propose une intrigue très simplifiée. Elle donne à voir une tranche de vie, souvent une ruse ou une tromperie, comme dans les fabliaux. Ainsi le début du *Médecin malgré lui*, qui présente une scène de ménage et la vengeance d'une femme, relève typiquement de la farce.

• DES PERSONNAGES TYPES

Les personnages d'une comédie peuvent avoir une véritable épaisseur psychologique. Ceux de la farce sont toujours typés et caricaturaux, à une seule dimension : le vieux barbon, la jeune première, le valet rusé, le valet idiot, etc.

• UN COMIQUE PARTICULIER

La farce utilise les mêmes procédés comiques que la comédie mais de manière exagérée. Elle privilégie le comique de geste (grimaces, bousculades, coups de bâton), la pantomime et le comique de mots (parler paysan).
Contrairement à la comédie, la farce accueille la grossièreté, la grivoiserie, et ne craint pas de choquer la bienséance, au contraire.

• LES ORIGINES DE LA FARCE

Au Moyen Âge, on donnait des « miracles » et des « mystères », pièces à sujet biblique très longues dont la représentation se jouait pendant plusieurs jours, en plein air, pour toute la population d'une ville. On y insérait des farces pour divertir les spectateurs. Ces farces ont ensuite été séparées et jouées pour elles-mêmes. 150 nous sont parvenues, la plus célèbre, *La Farce de Maître Pathelin*, date de 1464.

Farce : pourquoi ce nom ?

*Il vient peut-être simplement d'une analogie avec la farce à tomate, mélange de chairs et d'épices; ainsi, la farce théâtrale mélange genres, registres et sujets, à l'image de l'ancienne satire latine (*satura *signifie « mélange »).*

FARCES ET FABLIAUX

Les farces trouvent leur source d'inspiration dans les fabliaux du Moyen Âge, qui sont au roman ce que la farce est au théâtre : ces courts récits se caractérisent par un humour populaire et simple. Le ***Médecin malgré lui*** est d'ailleurs l'adaptation au théâtre d'un fabliau du Moyen Âge : *Le Vilain Mire*.

L'ÉVOLUTION DE LA FARCE

La farce évolue ensuite sous l'influence italienne de la *commedia dell'arte al improviso*. Celle-ci apporte des personnages typiques, représentés par un masque et un costume, et un ensemble de situations et de gags (les *lazzi*) à partir desquels les comédiens professionnels improvisent. Le plus célèbre des types est Arlequin.

UN EXEMPLE DE LAZZI

Arlequin entre en scène. Il imite le bourdonnement d'une mouche et semble la suivre des yeux. Il fait semblant de l'attraper en refermant son poing sur elle. Il porte son poing à sa bouche et l'ouvre pour gober la mouche (très pauvre, Arlequin est toujours affamé !). La mouche s'échappe... Il recommence.

MOLIÈRE ET LA FARCE

Dès le XVIe siècle, des compagnies italiennes viennent en France et s'y installent. À Paris, Scaramouche et ses « comédiens italiens » sont là lors du retour de Molière qui partage un théâtre avec eux et s'inspire de leur savoir-faire pour enrichir ses comédies.

Farceurs français et italiens, personnages de la commedia dell'Arte *(vers 1670), Paris, Comédie-Française.*

Étape 1 • Étudier la scène d'exposition

SUPPORT : Acte I, scène 1 (page 13)

OBJECTIF : Repérer en quoi cette scène constitue une exposition de farce.

As-tu bien lu ?

1 Où se situe l'action ? Qu'est-ce qui te permet de le dire ?

2 Les deux personnages sont :
☐ des voisins ☐ des amis ☐ mari et femme

3 Quel est le métier de Sganarelle ?
Relève la phrase qui te permet de l'identifier.

4 Quel reproche principal Martine fait-elle à Sganarelle :
☐ d'être insolent ☐ de vendre ses meubles ☐ d'être un ivrogne

5 Que fait Sganarelle à la fin de la scène ? Pourquoi ?

Une exposition* mouvementée

6 En analysant la première didascalie et les deux premières répliques, montre que la dispute des personnages a commencé avant le début de la scène.

7 Relève quelques phrases exclamatives. Pour quelle raison sont-elles si nombreuses ? Quel rythme cela donne-t-il à la scène ?

8 Qu'apprend-on sur Sganarelle ? Complète ce tableau.

Métier	
Expérience antérieure	
Défaut principal	
Caractère	

9 Quel défaut de Martine la scène fait-elle apparaître ? Que lui reproche exactement Sganarelle ?

Les effets comiques

10 Retrouve de quel type de comique* relèvent les éléments cités : comique de répétition – comique de caractère – comique de mots – comique de situation – comique de geste.

Type de comique	Élément de la scène
	La scène représente une scène de ménage.
	Sganarelle est un ivrogne brutal et paresseux.
	Sganarelle menace à plusieurs reprises Martine de la battre. Martine insulte plusieurs fois Sganarelle.
	SGANARELLE. *Il prend un bâton et lui en donne.* – Ah ! vous en voulez donc ?
	« Mets-les à terre. » - « Traître, insolent, trompeur, lâche, coquin, pendard, gueux, belître, fripon, maraud, voleur... ! »

La langue et le style

11 Du début de la scène jusqu'à la ligne 20, montre que les répliques s'enchaînent grâce à des répétitions de formules ou de mots.

12 Parmi les injures employées par Martine, relèves-en deux qui sont encore en usage aujourd'hui et deux qui ne le sont plus. Trouve leur sens dans un dictionnaire.

Faire le bilan

13 Explique pourquoi cette scène nous introduit dans un univers de farce. Tu peux parler de la situation, des personnages, du rythme...

À toi de jouer

14 Avec un ou une camarade, apprenez le début de la scène et amusez-vous à la dire avec une intonation caricaturale (Sganarelle avec un accent anglais, par exemple, et Martine avec une voix enrhumée...).

15 Raconte une dispute entre deux personnages de ton choix en employant les injures de Martine et des phrases exclamatives.

Étape 2 • Étudier les procédés comiques

SUPPORT : Acte I, scènes 4 et 5

OBJECTIFS : Comprendre l'exposition – Identifier et analyser des procédés comiques

As-tu bien lu ?

1 Que s'est-il passé à la scène 3 ? À quoi s'attend-on maintenant ?

2 Quels nouveaux personnages apparaissent au début de la scène 4 ?

3 Martine les aide à trouver :
☐ du bois ☐ un médecin ☐ leur chemin

4 Comment est habillé Sganarelle ?
☐ en noir ☐ en vert et jaune ☐ en costume de bûcheron

5 Ces deux scènes permettent-elles de comprendre le titre ? Pourquoi ?

Un procédé comique : la ruse (scène 4)

6 Comment Molière expose-t-il aux spectateurs « l'admirable invention » de Martine pour se venger de Sganarelle ?

7 Martine affirme que Sganarelle est médecin. Par quels moyens rend-elle cette affirmation vraisemblable (analyse les histoires qu'elle raconte et la description qu'elle donne de son mari) ?

Les autres procédés comiques (scène 5)

8 Comment apparaît Sganarelle au début de la scène (l. 256-271)? Que fait-il ? À quel type de comique (farce, comédie) peux-tu rattacher cela ? Quels sont les procédés comiques présents ?

9 Explique pourquoi Lucas fait rire par sa personnalité (ce qu'on appelle « comique de caractère »).

10 La scène 5 se poursuit par deux erreurs de compréhension entre Sganarelle, Valère et Lucas (des « quiproquos »). Explique-les en précisant à chaque fois ce que veulent dire les personnages et ce que comprennent leurs interlocuteurs.

11 Relève les différents exemples de comique de geste de la scène 5.

La langue et le style

12 Molière aime mettre en scène des « paysans » en s'amusant à caricaturer leur langage. Analyse le langage de Lucas en complétant ce tableau, puis trouve un équivalent en langage courant aux expressions qu'il emploie.

	Terme ou expression employés par Lucas	**Équivalent en langage courant**
Juron		
Confusion d'auxiliaire		
Confusion de personne verbale		
Erreur de construction		
Verbe comique		
Formule d'exagération		
Déformation de mot		

Faire le bilan

13 Quels sont les procédés comiques de ces deux scènes ?

14 Qu'est-ce qu'une exposition ? En quoi ces deux scènes en font-elles partie ?

À toi de jouer

15 Rédige des indications précises de mise en scène pour la scène 5.

16 Apprends un des rôles de ces deux scènes et entraîne-toi à le jouer avec un camarade.

17 Rédige le récit que Snagarelle pourrait faire de sa rencontre avec Lucas et Valère.

Étape 3 • Caractériser les personnages

SUPPORT : L'ensemble de la pièce

OBJECTIF : Comprendre les personnages types de la comédie et de la farce

As-tu bien lu ?

1 Quel personnage n'apparaît qu'une seule fois ?

2 Complète cette liste des personnages principaux.

.... un bûcheron ivrogne et rusé se dispute avec ...., son épouse, maline et coléreuse. Un voisin .... les sépare. Deux valets, Lucas et ...., à la recherche d'un médecin entrent. Martine leur fait prendre Sganarelle pour un docteur. Ils l'emmènent chez leur maître .... un vieillard cupide et grincheux qui veut marier sa fille .... de force avec un jeune homme plus riche. Toutefois elle en aime un autre .... moins riche mais plus séduisant. .... va les aider à se marier.

3 Quel personnage correspond à cette définition : « Valet lourdaud et inculte » ?

☐ Lucas ☐ Valère ☐ Thibault

4 Choisis parmi ces définitions celle qui correspond le mieux à Jacqueline :

☐ servante rusée et voleuse ☐ paysanne balourde
☐ jeune et jolie nourrice

Les valets et les paysans

5 Quel rôle joue Martine ? Compare-la avec Jacqueline. Quels sont leurs points communs et leurs différences ?

6 Sur quelle opposition repose le duo Valère-Lucas ? Appuie-toi sur leur langage, leur manière d'être pour répondre.

7 Cherche une scène et une citation précises pour illustrer ces caractéristiques de Sganarelle.

Caractéristiques	Scène	Citation
Brutalité		
Ivrognerie		
Cupidité		
Ruse		
Grossièreté		

Les maîtres

8 Fais la liste des maîtres dans la pièce.

9 Que veut dire le nom de Géronte ? Est-ce volontaire selon toi ?

10 Explique qui fait alliance avec les amoureux contre Géronte.

Faire le bilan

11 Pourquoi le couple de Sganarelle et Martine est-il comique ?

12 En quoi Lucinde, Léandre et Géronte sont-ils des personnages « typiques » de comédie ?

13 Qui sont les « valets » dans la pièce ? En quoi sont-ils exemplaires des valets de comédie ?

À toi de jouer

14 Associe chaque nom de personnage avec son rôle. Justifie tes choix, en t'appuyant sur d'autres pièces de Molière, ou en les analysant.

Argan ●	● vieillard, grincheux et avare
Angélique ●	● jeune amoureuse
Toinette ●	● servante maline et facétieuse
Cléante ●	● jeune amoureux
Purgon ●	● médecin ridicule
Mascarille ●	● valet rusé et filou

15 Choisis un personnage typique de comédie (valet ou maître), donne-lui un nom et rédige son portrait moral et physique.

Étape 4 • Étudier l'intrigue de la pièce

SUPPORT : L'ensemble de la pièce

OBJECTIF : Comprendre l'intrigue de la pièce

As-tu bien lu ?

1 Complète ce tableau, en indiquant chaque fois que nécessaire la scène et l'acte ou au contraire ce qui se passe, sous la forme d'une phrase résumant la scène.

Ce qui se passe	Acte et scène
	I, 1
Réconciliation des époux.	
	I, 3 et I, 4
Sganarelle devient médecin.	I, 5
	II, 2
	II, 2 et 3 et III, 3
Sganarelle examine Lucinde.	
	II, 5
Léandre grimé en apothicaire s'entretient avec Lucinde qui retrouve la parole. Ils s'enfuient.	
	III, 8
Sganarelle est condamné à être pendu comme complice. Martine arrive.	
	III, 11

Péripéties et coups de théâtre

2 La scène 2 de l'acte I est-elle une péripétie*ou un coup de théâtre*.

3 Quel coup de théâtre survient à la scène 6 de l'acte III ? En quoi fait-il évoluer l'action ?

4 Quel coup de théâtre apporte une solution à la situation de Lucinde et Léandre ? Pouvait-on le prévoir ?

Une comédie en deux intrigues

5 Le schéma dramatique d'une pièce permet de décrire la manière dont se déroule l'action.
Pour compléter le relevé des différents épisodes du schéma que tu viens d'établir, il faut maintenant que tu les classes dans les deux intrigues qui se croisent dans la pièce.

La vengeance de Martine	Le mariage de Lucinde

6 Explique quels éléments ou personnages conduisent les deux intrigues à se croiser.

Faire le bilan

7 Quels rôles jouent les péripéties et les coups de théâtre dans l'intrigue et l'action dramatique ? Donne au moins un exemple.

8 Quelles sont, pour les personnages principaux, les différences entre la situation finale et la situation initiale de la pièce ?

À toi de jouer

9 Rédige un bref résumé de la pièce, en tâchant de ne rien oublier d'essentiel.

Étape 5 • Étudier la scène de la consultation

SUPPORT : Acte II, scène 4

OBJECTIF : Comprendre la satire de la médecine

As-tu bien lu ?

1 Où se déroule cette scène ?
☐ chez Sganarelle ☐ chez Géronte ☐ dans la forêt

2 Depuis quand se trouve-t-on dans ce lieu ?
☐ le début de l'acte II ☐ cette scène ☐ le début de la pièce

3 Quel personnage fait sa première apparition dans cette scène ?
☐ Jacqueline ☐ Lucinde ☐ Léandre

4 Qu'attend Géronte de Sganarelle ? Relève la réplique qui te permet de répondre.

5 Relève les « indices » qui permettent à Sganarelle de diagnostiquer la maladie de Lucinde.

Une consultation mise en scène

6 Cette scène suit les étapes « classiques » d'une consultation. Indique les lignes correspondant à chaque étape.

L'interrogatoire du malade	
L'auscultation	
Le diagnostic	
L'explication de l'origine de la maladie	
La prescription d'un traitement	

Une consultation comique

7 Comment se passe l'interrogatoire de la malade ? Qui répond en fait ? Pourquoi ?

8 Explique comment Sganarelle trouve la maladie de Lucinde. En quoi est-ce comique ?

9 Que peut-on dire du remède (l. 741 à 743) prescrit par Sganarelle ? Fallait-il être médecin pour le trouver ?

10 Explique pourquoi Sganarelle parle latin (l. 698 à 702). Appuie-toi en particulier sur les réactions de son auditoire.

11 Le médecin apparaît-il comme un personnage « savant » et sérieux dans cette scène ?

La langue et style

12 Molière imite le langage médical en utilisant plusieurs procédés. Trouve un exemple au moins de :

- vocabulaire « scientifique » ;
- ton d'autorité ;
- utilisation du présent de vérité générale pour définir.

Faire le bilan

13 Explique ce qu'est une satire*.

14 En quoi cette consultation ridiculise-t-elle les médecins ?

À toi de jouer

15 Apprends le rôle de Sganarelle et joue-le avec l'aide de camarades.

16 Lucinde écrit à Léandre pour lui raconter cette scène.
Rédige sa lettre, sans oublier qu'elle fait semblant d'être malade et que Léandre est informé de cette ruse.

Étape 6 • Étudier la satire de la médecine dans la pièce

SUPPORT : La pièce et les documents de l'enquête

OBJECTIF : Identifier la critique des médecins dans la pièce

As-tu bien lu ?

1 Le thème de la médecine et des médecins est omniprésent dans la pièce. Récapitule ses apparitions en complétant ce tableau.

Thème	Scène
Récits de guérisons miraculeuses par Martine	
Allusion au costume du médecin	
Consultation de Lucinde	
Fausse consultation de Léandre	
Léandre déguisé en apothicaire	
Consultation de Thibault et Perrin	
Léandre se déguise en apothicaire	
Invention d'un remède farfelu pour guérir Lucinde	

2 Quels personnages se déguisent en médecins dans la pièce ?

3 Relis la scène 5 de l'acte I. Qu'est-ce qui décide Sganarelle à devenir médecin ?

☐ la peur des coups ☐ le désir de fuir Martine

☐ l'argent

4 Trouve deux autres scènes où apparaît la même motivation. Qu'est-ce que cela nous apprend sur les médecins ?

La mise en scène des médecins

5 Sganarelle cite Hippocrate (II, 2, l. 512) et Aristote (II, 4, l. 681). Qui sont ces auteurs et pourquoi ces citations ? Aide-toi du dossier pour répondre.

6 Confronte les deux scènes de consultation, et les informations de l'enquête. Que peux-tu en conclure sur les connaissances de Molière sur la médecine de son époque ?

La satire des médecins

7 Lorsque Sganarelle est face à Jacqueline, pourquoi utilise-t-il la médecine ?

8 Explique pourquoi Molière a choisi un bûcheron ivrogne pour le déguiser en médecin.

9 Quel usage Sganarelle fait-il du latin ? Réponds en t'appuyant sur une citation précise.

10 À ton avis, pourquoi Sganarelle et Léandre peuvent-ils se faire passer aussi facilement pour médecin et apothicaire ?

Faire le bilan

11 Quels défauts des médecins la pièce de Molière dénonce-t-elle ?

12 Quelles armes Molière utilise-t-il contre les médecins ? Donne plusieurs exemples.

13 Que sont les médecins pour Molière : de vrais savants ou des charlatans ?

À toi de jouer

14 À la manière de Sganarelle (III, 6, l. 1065-1080), imagine un « traitement médical » pour faire face à une situation de la vie courante (un élève qui a de mauvaises notes, un enfant qui veut échapper à une punition...).

15 Un homme du XVIIe siècle est transporté à notre époque. Rédige la lettre qu'il écrit à un de ses amis de son époque pour lui décrire la médecine moderne.

Étape 7 • Étudier le dénouement

SUPPORT : Acte III, scènes 9, 10 et 11

OBJECTIF : Comprendre le dénouement d'une comédie farce

As-tu bien lu ?

1 Qui revient à la scène 9 ?
☐ Jacqueline ☐ Martine ☐ Lucinde

2 Qui revient à la scène 10 ?

3 Pour quelle raison Léandre revient-il ?
☐ il est fatigué de fuir
☐ il est rattrapé par les gendarmes
☐ devenu riche, il peut épouser Lucinde

4 Que décide Géronte au sujet de Lucinde dans la scène 11 ?

5 Que demande Martine à Sganarelle dans la scène 11 ?

6 Quelle décision prend Sganarelle dans la scène 11 ?

Un renversement inopiné

7 Quels événements se succèdent avant la scène 11. Fais-en la liste, en indiquant la scène. Tâche ensuite de caractériser le rythme de ces événements.

8 Comment la pièce se termine-t-elle pour le couple Lucinde/Léandre et pour Sganarelle et Martine ?

9 Cette fin était-elle prévisible ? Quel coup de théâtre la rend possible ?

10 Un tel renversement de situation est-il vraisemblable ?

Un dénouement classique de comédie-farce

11 Quels sont les personnages présents ? Parlent-ils tous ?

12 Montre que la fin est heureuse pour tous les personnages.

La langue et le style

13 Analyse le dialogue de la scène 9. Pourquoi les réactions de Martine sont-elles inadaptées à la situation ?

14 « Votre vertu m'est tout à fait considérable » dit Géronte à Léandre. Qu'entend-il par vertu à ton avis ? De qui Molière se moque-t-il ici ?

15 Les phrases exclamatives sont très nombreuses dans ces trois scènes. Relèves-en plusieurs et explique pourquoi les personnages s'exclament autant à ce moment de la pièce.

16 Caractérise le style de la dernière réplique de Sganarelle. Parle-t-il comme un valet ou comme un médecin ?

Faire le bilan

17 Quels sont les éléments d'un dénouement de comédie-farce ?

À toi de jouer

18 Que vont devenir Sganarelle et Martine ? Rédige un court récit pour raconter la suite de leurs aventures.

19 Avec un camarade jouez la scène des retrouvailles de Martine et Sganarelle (scène 9).

Le mariage : groupement de documents

OBJECTIF : Comparer plusieurs documents sur le thème du mariage.

DOCUMENT 1 MOLIÈRE, *Le Malade imaginaire*, 1673, Acte I, Scène 5

Argan annonce à sa fille Angélique qu'il a décidé de la marier. Elle est ravie, jusqu'à ce qu'elle comprenne que le promis n'est pas celui qu'elle aime mais un jeune médecin, Thomas Diafoirus. Angélique ne sait quoi dire ; heureusement, sa servante, Toinette, prend sa défense...

TOINETTE. – Quoi, Monsieur, vous auriez fait ce dessein burlesque[1]? Et avec tout le bien[2] que vous avez, vous voudriez marier votre fille avec un médecin ?

ARGAN. – Oui. De quoi te mêles-tu, coquine, impudente que tu es ?

TOINETTE. – Mon Dieu tout doux, vous allez d'abord aux invectives. Est-ce que nous ne pouvons pas raisonner ensemble sans nous emporter ? Là, parlons de sang-froid. Quelle est votre raison, s'il vous plaît, pour un tel mariage ?

ARGAN. – Ma raison est, que me voyant infirme, et malade comme je suis, je veux me faire un gendre, et des alliés médecins, afin de m'appuyer de bons secours contre ma maladie, d'avoir dans ma famille les sources des remèdes qui me sont nécessaires, et d'être à même[3] des consultations, et des ordonnances.

TOINETTE. – Hé bien, voilà dire une raison, et il y a plaisir à se répondre doucement les uns aux autres. Mais, Monsieur, mettez la main à la conscience. Est-ce que vous êtes malade ?

ARGAN. – Comment, coquine, si je suis malade ? si je suis malade, impudente ?

TOINETTE. – Hé bien oui, Monsieur, vous êtes malade, n'ayons point de querelle là-dessus. Oui, vous êtes fort malade, j'en demeure d'accord, et plus malade que vous ne pensez ; voilà qui est fait. Mais votre fille doit épouser un mari pour elle ; et n'étant point malade, il n'est pas nécessaire de lui donner un médecin.

ARGAN. – C'est pour moi que je lui donne ce médecin ; et une fille de bon naturel doit être ravie d'épouser ce qui est utile à la santé de son père.

TOINETTE. – Ma foi, Monsieur, voulez-vous qu'en amie je vous donne un conseil ?

1. **Burlesque** : ridicule. 2. **Le bien** : la richesse. 3. **Être à même** : avoir à ma disposition.

ARGAN. – Quel est-il ce conseil ?
TOINETTE. – De ne point songer à ce mariage-là.
ARGAN. – Hé la raison ?
TOINETTE. – La raison, c'est que votre fille n'y consentira point.

DOCUMENT 2 MOLIÈRE, *L'Avare*, 1668, Acte I, Scène 5

Harpagon annonce à sa fille Élise qu'il veut la marier avec le seigneur Anselme. Elle refuse tout net car elle aime Valère, qui l'a sauvée de la noyade et qui s'est introduit chez Harpagon en se déguisant en domestique. Justement il arrive et Harpagon, qui ignore ce déguisement, lui demande d'arbitrer entre lui et sa fille...

HARPAGON. – Ici, Valère. Nous t'avons élu pour nous dire qui a raison, de ma fille ou de moi.
VALÈRE. – C'est vous, Monsieur, sans contredit.
HARPAGON. – Sais-tu bien de quoi nous parlons ?
VALÈRE. – Non ; mais vous ne sauriez avoir tort, et vous êtes toute raison.
HARPAGON. – Je veux ce soir lui donner pour époux un homme aussi riche que sage ; et la coquine me dit au nez qu'elle se moque de le prendre. Que dis-tu de cela ?
VALÈRE. – Ce que j'en dis ?
HARPAGON. – Oui.
VALÈRE. – Eh, eh.
HARPAGON. – Quoi ?
VALÈRE. – Je dis que dans le fond je suis de votre sentiment ; et vous ne pouvez pas que vous n'ayez raison[1]. Mais aussi n'a-t-elle pas tort tout à fait, et...
HARPAGON. – Comment ? Le seigneur Anselme est un parti considérable ; c'est un gentilhomme[2] qui est noble, doux, posé, sage, et fort accommodé, et auquel il ne reste aucun enfant de son premier mariage. Saurait-elle mieux rencontrer ?
VALÈRE. – Cela est vrai. Mais elle pourrait vous dire que c'est un peu précipiter les choses, et qu'il faudrait au moins quelque temps pour voir si son inclination[3] pourra s'accommoder avec.

1. **Vous ne pouvez pas que vous n'ayez raison** : vous ne pouvez pas avoir tort. 2. **Un gentilhomme** : un noble.
3. **Son inclination** : ses sentiments.

HARPAGON. – C'est une occasion qu'il faut prendre vite aux cheveux. Je trouve ici un avantage qu'ailleurs je ne trouverais pas, et il s'engage à la prendre sans dot[1].

VALÈRE. – Sans dot ?

HARPAGON. – Oui.

VALÈRE. – Ah ! je ne dis plus rien. Voyez-vous ? voilà une raison tout à fait convaincante ; il se faut rendre à cela.

HARPAGON. – C'est pour moi une épargne considérable.

VALÈRE. – Assurément, cela ne reçoit point de contradiction. Il est vrai que votre fille vous peut représenter[2] que le mariage est une plus grande affaire qu'on ne peut croire ; qu'il y va d'être heureux ou malheureux toute sa vie ; et qu'un engagement qui doit durer jusqu'à la mort ne se doit jamais faire qu'avec de grandes précautions.

HARPAGON. – Sans dot.

VALÈRE. – Vous avez raison : voilà qui décide tout, cela s'entend. Il y a des gens qui pourraient vous dire qu'en de telles occasions l'inclination d'une fille est une chose sans doute où l'on doit avoir de l'égard ; et que cette grande inégalité d'âge, d'humeur et de sentiments, rend un mariage sujet à des accidents très fâcheux.

HARPAGON. – Sans dot.

VALÈRE. – Ah ! il n'y a pas de réplique à cela : on le sait bien ; qui diantre peut aller là contre ? Ce n'est pas qu'il n'y ait quantité de pères qui aimeraient mieux ménager la satisfaction de leurs filles que l'argent qu'ils pourraient donner ; qui ne les voudraient point sacrifier à l'intérêt, et chercheraient plus que toute autre chose à mettre dans un mariage cette douce conformité qui sans cesse y maintient l'honneur, la tranquillité et la joie, et que.

HARPAGON. – Sans dot.

VALÈRE. – Il est vrai : cela ferme la bouche à tout, sans dot. Le moyen de résister à une raison comme celle-là ?

HARPAGON, *il regarde vers le jardin.* – Ouais ! Il me semble que j'entends un chien qui aboie. N'est-ce point qu'on en voudrait à mon argent ? Ne bougez, je reviens tout à l'heure.

1. **Dot** : somme d'argent que les parents donnaient à leur fille lors de son mariage. 2. **Représenter** : expliquer.

As-tu bien lu ?

1 Pourquoi Argan veut-il marier sa fille à un médecin ?

2 Pourquoi Harpagon veut-il marier sa fille à Anselme ?

Comparer

3 En quoi les situations d'Angélique et d'Élise sont-elles comparables ?

4 Et la situation de Lucinde ? Est-elle semblable ?

5 Qui est favorable au mariage « arrangé » et qui est partisan du mariage « d'amour » ? Retrouve-t-on cette opposition dans *Le Médecin malgré lui* ?

DOCUMENT 3
« Oronte a cinquante ans, se marie avec une jeune fille de famille de seize ans » (1845),
illustration de Grandville (1803-1847) pour «des biens de fortune» dans *Les caractères* de Jean de la Bruyère.

Lire l'image

6 De quelle époque date cette gravure ? Quels éléments évoquent cependant l'époque de Molière ?

7 Quels contrastes visuels expriment la disparité entre les époux ?

8 Cette gravure pourrait-elle servir d'illustration à un des textes du groupement ? Lequel et pourquoi ?

9 Cette image est-elle satirique ?

À toi de jouer

10 Au XVIIe siècle, le conjoint était choisi par le père ou les parents. Qu'en penses-tu ? Selon toi, qui doit choisir le conjoint et sur quels critères ?

De grandes découvertes font évoluer la science médicale du XVIIe siècle. Pourtant, à l'époque de Molière, les médecins de ville, ceux qui soignent au quotidien, ressemblent plus à Sganarelle et à Diafoirus, le médecin du Malade imaginaire *de Molière qu'à nos actuels docteurs : ils portent un costume extravagant, parlent un langage incompréhensible et soignent rarement leurs malades. Mais qu'en était-il exactement à l'époque ?*

Quelle médecine pratique-t-on au XVIIe siècle ?

L'ENQUÊTE EN 5 ÉTAPES

1 Comment devient-on médecin au XVIIe siècle ?

Les études de médecine sont alors fondées sur la lecture et le commentaire des textes anciens d'Aristote*, d'Hippocrate* et de Galien*: le professeur lit les textes, les commente et les élèves les répètent. Le médecin est considéré comme un savant car le prestige des Anciens rejaillit sur lui, mais l'observation et l'expérience n'ont aucune part dans sa formation: il n'a jamais fait de dissection ni même rencontré un malade. Si une maladie est en contradiction avec Hippocrate ou Aristote, le malade a tort et la maladie n'existe pas!

● MÉDECIN : UN ART DE PAROLE ET DE PARAÎTRE

Le médecin est d'abord un beau parleur qui connaît parfaitement Aristote et Hippocrate.

Molière l'a bien compris, en créant des docteurs qui impressionnent leurs patients par un costume imposant et par un langage savant, où s'entremêlent latin et grec, que personne ne comprend.

Ce langage peut même être sans rapport avec la matière médicale : un latiniste débutant comprend que le « diagnostic » de Sganarelle à la scène 4 de l'acte II est une leçon de grammaire et de rhétorique !

● CHIRURGIEN : UN ART D'EXÉCUTION

Les chirurgiens ne sont pas médecins à l'époque. Pour apprendre le métier, ils entrent chez un « maître » et se forment ainsi sur le tas, en regardant, puis en pratiquant à leur tour les principales opérations : saigner, panser, inciser les abcès, réduire une fracture... Dépourvus de formation théorique et générale, ils sont considérés comme des artisans et leur métier est bien moins prestigieux que celui de médecin.

* **Aristote** : philosophe grec du IVe siècle avant J.-C. Sa description de la nature sert de base aux études médicales à l'époque de Molière.

Le médecin est d'abord un beau parleur.
Le chirurgien, lui, n'est qu'un praticien.

* **Hippocrate** : médecin grec du IVe siècle avant J.-C., auteur du « Serment d'Hippocrate », toujours prêté par les médecins.

2 Quelles sont les théories médicales de l'époque ?

Le discours des médecins respecte celui de l'Église : maladie et guérison sont les fruits de la volonté divine car Dieu est la cause première de tout. La médecine intervient donc seulement sur les causes secondes, responsables de l'irruption de la maladie, expliquées à l'aide de théories diverses, dont la principale est celle des « humeurs ».

Le tempérament humain, les quatre humeurs : flegmatique, sanguin, mélancolique et colérique, gravure (17e siècle), Londres, The British Library.

● LA THÉORIE DES QUATRE HUMEURS

À l'époque, on croit que quatre éléments opposés et complémentaires composent le monde : la terre, l'eau, le feu et l'air, ayant pour qualités respectives le sec, l'humide, le chaud et le froid. Par analogie, le médecin Claude Galien* en déduit que le corps humain est composé de quatre humeurs : le sang (sécrété par le cœur, il est chaud et humide), la bile (sécrétée par le foie, elle est chaude et sèche), l'atrabile (sécrétée par la rate, elle est froide et sèche) et la lymphe (sécrétée par le cerveau, elle est froide et humide).
On s'imagine donc que la santé, c'est l'équilibre des humeurs. Mais si les humeurs deviennent « peccantes », c'est la maladie et il faut soigner.

La théorie des quatre humeurs s'appuie sur la théorie de Fabien, médecin du IIe siècle.

* **Galien :** médecin romain du IIe siècle après J.-C. dont l'influence est prépondérante au XVIIe siècle.

● PEUT-ON AIDER LA « NATURE » ?

Deux écoles s'affrontent : la médecine « expectante » qui considère que la nature fait bien les choses et qu'en cas de maladie, il faut attendre la guérison, en aidant discrètement la nature, et la médecine « agissante » qui, au contraire, agit vigoureusement pour rétablir l'équilibre. C'est là la méthode dénoncée par Molière : « saignare, purgare et clysterium donare », saigner, purger et donner des clystères, et recommencer, jusqu'à ce que le corps soit libéré des humeurs « peccantes » et retrouve son équilibre.

Abraham Bosse, Les métiers, Le clystère (17e siècle), gravure, 26,5 x 34,6 cm.

Saigner : une médecine meurtrière

À l'époque de Molière, on saigne à tout va : « Plus on tire de l'eau d'un puits, plus il en revient de bonne ; [...] le semblable est du sang et de la saignée » écrit Botallo, médecin d'Henri III. On saigne aussi bien les adultes que les enfants, ce qui peut avoir des conséquences tragiques : en août 1726, la jeune duchesse d'Orléans meurt, affaiblie par une saignée au cours de son accouchement. On saigne à proximité du siège de la maladie : au front, aux tempes ou au coin des yeux pour les maux de tête, au bras gauche pour les maux de cœur, etc. L'opération elle-même est risquée. Mal faite, elle provoque abcès et infections.

On purge !

Comme la saignée, le lavement vide le corps des humeurs « peccantes » en provoquant les selles ou le vomissement. Le plus célèbre de ces traitements est une sorte de grosse seringue, le clystère. Administrée par les apothicaires « limonadiers des postérieurs » selon une expression de l'époque ou les servantes dans les maisons bourgeoises, cette médication est suremployée. Ainsi Louis XIV aurait subi plus de 2 000 lavements au cours de sa vie !

3 Comment se déroule une consultation ?

Pour connaître la maladie, le médecin n'ausculte pas son patient : c'est une tâche manuelle et donc vile que l'on confie éventuellement au chirurgien. Pour établir son diagnostic, il se fie à l'interrogatoire et à l'observation du malade et de son entourage.

• L'OBSERVATION DU MALADE

Le médecin observe le visage, la langue, les yeux, le pouls, les urines – qui sont goûtées pour compléter l'examen ! – les selles et le sang. Il en résulte un vocabulaire très riche et apparemment précis pour décrire ces éléments, mais qui ne permet aucune observation positive et dont Molière a bien perçu l'aspect comique.

• LA CONSULTATION PAR CORRESPONDANCE

L'importance de l'interrogatoire pousse aussi à la pratique de la consultation par correspondance : le médecin envoie un questionnaire détaillé au patient, qui le lui renvoie renseigné, éventuellement avec un flacon d'urine ou de sang, et hop ! le tour est joué.
Le gazetier Théophraste Renaudot a même l'idée de publier en 1642 un formulaire de consultation au titre judicieux : « La Présence des absents, ou facile moyen de rendre présent au médecin l'état d'un malade absent. ».

Prendre ou dire le pouls ?

La Martinière nous apprend, en 1667, que le pouls est égal ou inégal. S'il est égal, il peut être véhément ou languide ; s'il est inégal, il sera réciproque, intermittent ou défaillant.
Mais, comme rien n'est simple, le pouls peut encore être petit, dur, tendu, élancé, convulsif, rare, languide, tardif, ondoyant, vermiculant, fourmillant, tremblant, ondeux, large, mol...
On ignore alors que le pouls n'indique rien d'autre que le rythme des pulsations cardiaques !

Le médecin n'ausculte pas. Il observe...

Il interroge le malade, même à distance !

gazetier : rédacteur dans une gazette (on dirait aujourd'hui journaliste).

4 Quels médicaments utilise-t-on ?

Le médecin, à l'instar du gendarme, va rarement seul: il est souvent accompagné par un apothicaire. Mélange d'herboriste, de chimiste et d'épicier, l'apothicaire utilise une pharmacopée – une série de médicaments – dont la variété est aussi surprenante que l'absence de spécificité, c'est-à-dire qu'une même substance guérit de nombreuses maladies. En réalité, il s'agit plus de magie et d'analogie que de science véritable...

Un médicament exotique

Introduit en Europe par les Espagnols après la conquête du Mexique, le chocolat apparaît en France lors de la première moitié du XVIIe siècle. Il intéresse rapidement les médecins car, selon Furetière, il « rafraîchit les estomacs trop chauds et échauffe ceux qui sont trop froids ». Mais on se méfie tout de même de cette boisson nouvelle aux effets incertains : « La marquise de Coetlogon prit tant de chocolat étant grosse qu'elle accoucha d'un petit garçon noir comme un diable, qui mourut. » écrit Mme de Sévigné le 25 octobre 1671 à sa fille.

Jean-Baptiste Charpentier le Vieux (1728-1806), la famille du duc de Penthièvre ou la Tasse de chocolat (1768), huile sur toile, 1,76 x 2,56 m, Château de Versailles.

C'est l'apothicaire qui fabrique les médicaments.

Toutes sortes de plantes sont alors utilisées en pharmacie.

vermifuge : qui tue ou expulse les vers intestinaux.

• DES PLANTES POUR SOIGNER

Les plantes médicinales sont nombreuses, on peut citer par exemple l'ail (vermifuge), l'aristoloche (anti-inflammatoire), la bourdaine (laxative), la lavande qui est un calmant.

On récolte ces plantes à une saison choisie de l'année, en raison de leur cycle de croissance, mais aussi à des moments précis, pour des raisons mi-naturelles, mi-magiques. Ainsi on récoltera en fonction des phases de la lune ou bien la nuit de la Saint-Jean, le 24 juin, pour obtenir une plante plus active.

Le vin « qui réjouit le cœur de l'homme », ou des boissons exotiques et nouvelles à l'époque (le thé, le café et le chocolat) sont aussi considérés comme des médicaments.

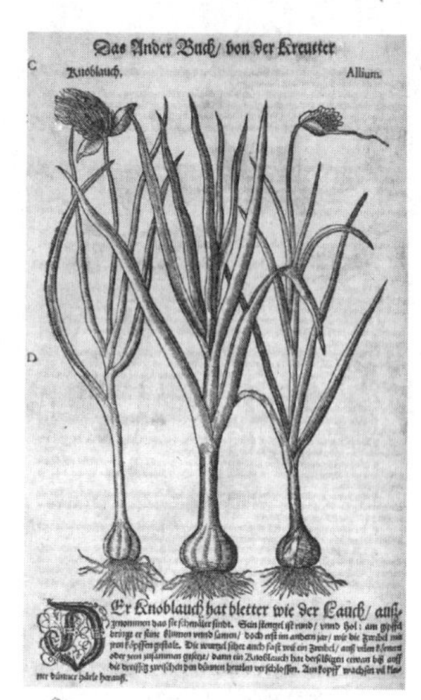

Ail, planche botanique extraite de l'ouvrage de Pietro Andrea Mattiol (1500-1577), imprimé à Prague en 1563.

Pharmacopée animale

« Pour les animaux, j'entends non seulement ceux qui sont employés entiers, comme les scorpions, les grenouilles, les vers, les cloportes, les petits chiens, les fourmis, les cantharides, les lézards, etc. mais toutes les parties des animaux qui peuvent être employées par la médecine, sans en excepter leurs excréments et leurs superfluités [...]. »
Moïse Charas, Pharmacopée royale, *1676.*

• LES ANIMAUX EMPLOYÉS EN PHARMACIE

Les substances animales utilisées alors en pharmacie reposent sur de « fumeux » principes d'analogie (ressemblance entre le médicament et la maladie à traiter). Par exemple on utilise le poumon de renard contre les maladies pulmonaires, le cerveau de moineau contre l'épilepsie.

anti-inflammatoire : qui combat les inflammations, les irritations de l'organisme.

On utilise également des substances animales avec une grande fantaisie !

DE RARES ÉLÉMENTS CHIMIQUES. L'ÉMÉTIQUE

Trois corps chimiques, le plomb, le mercure (ou vif-argent) et l'antimoine participent à la pharmacopée. Le troisième, qui se rapproche de l'arsenic, entre dans la composition de l'émétique qui va provoquer une querelle, les uns disant qu'il s'agit d'un poison, les autres d'un remède souverain. Finalement, l'émétique gagne la partie grâce à un miracle. En juillet 1658 pendant la campagne de Flandres, Louis XIV, gravement malade, est sauvé par un médecin qui le purge 22 fois à l'émétique. Après cet « éclatant exemple », l'émétique s'impose dans les officines de toute l'Europe.

La pilule perpétuelle

Après avoir guéri le roi en Flandres, l'émétique est partout. On invente même une pilule perpétuelle : c'est une petite balle, avalée par le malade et qui ressort… intacte. Ainsi – une fois rincée, tout de même ! – la pilule ressert indéfiniment !

Se dorer la pilule

Les médicaments pour les riches malades étaient roulés dans de la poudre d'or. On dorait leurs pilules ! Mais cela avait pour conséquence de rendre la pilule étanche, de sorte qu'elle traversait l'organisme sans que le principe actif puisse se répandre dans le corps !

Très peu d'éléments chimiques entrent alors dans la composition des médicaments.

officine : local où l'apothicaire préparait les remèdes.

5 Peut-on pour autant parler de progrès de la médecine ?

Malgré les pratiques fantaisistes des médecins de ville, la science médicale progresse à pas de géant au XVIIe siècle, grâce aux découvertes et aux avancées du siècle précédent.

● VÉSALE ET AMBROISE PARÉ

En effet, au XVIe siècle, Vésale remet à l'ordre du jour la dissection. On se bouscule à ses séances de dissections publiques à l'université de Padoue, sur des corps de condamnés ou de suicidés.
La chirurgie devient, elle aussi, une discipline. Ambroise Paré invente la ligature des artères en 1552 et sauve des amputés d'une mort quasi-certaine. Il devient ainsi un des praticiens les plus reconnus de son temps.

● LE DÉBAT AUTOUR DE LA CIRCULATION DU SANG

Le médecin anglais William Harvey découvre et explique la circulation du sang, ce qui remet en cause les préceptes d'Hippocrate et provoque une querelle dans toute l'Europe (il en est fait écho dans *Le Malade imaginaire*). Louis XIV tranche en faveur de W. Harvey. C'est la première fois qu'un roi intervient dans le débat scientifique.

● LA RÉVOLUTION DU MICROSCOPE

L'invention du microscope permet d'observer les microbes, les globules rouges du sang et les cellules. Cela permet même, en 1677, avec la découverte des spermatozoïdes, de remettre en cause la théorie de la génération spontanée (croyance selon laquelle les être vivants se forment seuls).
C'est aussi à cette époque que la quinine qui permet de soigner la malaria ou le paludisme, connue en Amérique du Sud depuis les Incas, est découverte.

● LA CRÉATION D'HÔPITAUX

Louis XIV lui-même participe aux progrès de la médecine en décidant de la création d'un hôpital dans chaque grande ville afin d'y accueillir toute personne en difficulté. Mais ils ne deviendront des lieux d'enseignement qu'au XVIIIe siècle, étape fondamentale pour que les médecins deviennent réellement des praticiens, comme ils le sont aujourd'hui.

Au siècle précédent, l'anatomie a connu de grandes avancées.

anatomie : étude de la composition et de la forme des corps vivants.

On découvre que le sang circule.

Le microscope permet de découvrir microbes et cellules.

Petit lexique du théâtre

Accessoires	Les petits objets (bâton, bouteille, chapeau...) utiles à la représentation.
Acte	Nom donné à chacune des grandes parties d'une pièce de théâtre. Le plus souvent, le changement d'acte correspond à un changement de lieu ; le rideau se ferme pour permettre le changement de décor.
Aparté	Il y a « aparté » lorsqu'un personnage parle sans être entendu d'un autre personnage, mais que le public, lui, l'entend.
Comédie	Pièce comique destinée à faire rire le public. Les pièces de Molière sont des comédies.
Comédien	Personne qui joue la comédie, incarne un personnage d'une pièce. ***Syn.*** Acteur.
Commedia dell'arte	Genre théâtral italien dans lequel, à partir de personnages (Arlequin, Scaramouche, Pierrot, Colombine, Matamore...) et de situations types (les *lazzi*), les comédiens développent une action en improvisant.
Coup de théâtre	Événement inattendu qui modifie radicalement le cours de l'action.
Décor	Sous forme de meubles et de grandes toiles peintes placées au fond de la scène, le décor reconstitue le lieu de l'action (forêt, chambre...) sur la scène.
Dénouement	Fin de la pièce, moment où tout s'explique et se résout.
Didascalie	Indication de mise en scène, figurant en italique dans le texte de la pièce, sur le décor, les costumes, le ton ou les gestes.
Farce	Pièce courte au comique grossier où les gestes ont autant d'importance que le texte.
Improviser	Jouer spontanément, sans avoir appris de texte, une situation donnée. Les spectacles de la *Commedia dell'arte* sont toujours improvisés.

Metteur en scène	Personne qui dirige les acteurs (mouvements, intonations), choisit les décors et les costumes pour la représentation.
Monologue	Passage où un personnage parle seul sur scène. Par convention, on considère que le monologue exprime les pensées d'un personnage aux spectateurs.
Péripétie	Changement de situation.
Personnage	Personne qui apparaît dans une pièce de théâtre et qui doit être représentée par un acteur.
Pièce de théâtre	Texte fait pour être représenté au théâtre.
Quiproquo	En latin : « ceci pour cela ». Situation où l'on prend une personne pour une autre, où l'on comprend de travers et qui génère des effets comiques, parfois en cascade.
Réplique	Ce qu'un acteur doit dire en une seule fois. Dans le texte de la pièce, devant chaque nouvelle réplique, est écrit le nom du personnage qui parle.
Représentation	Nom que l'on donne à une soirée de théâtre, au fait de jouer la pièce devant un public. ***Syn.*** Spectacle.
Scène	***1.*** Lieu où jouent les acteurs. On peut aussi parler des « planches » ou du « plateau ». ***2.*** Nom donné à chacune des parties d'un acte. On change de scène lorsqu'un personnage arrive ou s'en va.
Théâtre	Le mot désigne aussi bien le lieu (la salle) que ce qui s'y déroule (la pièce).
Tirade	Longue réplique, dans laquelle un personnage développe une idée importante.
Tragédie	Genre théâtral inventé en Grèce, dans l'Antiquité. Souvent en vers, une tragédie raconte les histoires terribles arrivées à des personnages mythologiques ou historiques. Racine et Corneille ont écrit des tragédies.

A lire et à voir

● D'AUTRES PIÈCES SATIRIQUES SUR LA MÉDECINE ET LES MÉDECINS

Molière
Le Malade Imaginaire

Jules Romains
Knock

● POUR MIEUX CONNAÎTRE MOLIÈRE

Marie-Christine Helgerson
Louison et monsieur Molière
FLAMMARION, COLL. « CASTOR POCHE », 2000

Molière
FILM D'ARIANE MNOUCHKINE
avec Philippe Caubère, Joséphine Derenne, Brigitte Catillon...

● REGARDER LES PIÈCES DE MOLIÈRE

Le Médecin malgré lui
FILM DE GEORGES FOLGOAS
avec Jean Richard et Jacqueline Jefford, Collection « Les classiques de Au théâtre ce soir »

Le Malade imaginaire
FILM DE JEAN-PAUL CARRIÈRE
avec Jacques Charon, Jacques Eyser, Georges Descrières, Jacques Toja, Simon Eine, collection « La Comédie française », 1976

Table des illustrations

Iconographie : Hatier Illustration
Principe de maquette : Marie-Astrid Bailly-Maître & Sterenn Heudiard
Mise en page : Graphismes

Achevé d'imprimer par Grafica Veneta à Trebaseleghe - Italie
Dépôt légal n° 93967-9/01 - Juillet 2011